D0835358

LA PISTE DES GUERRIERS

Traduit de l'américain
par Isabelle Troin
et adapté pour l'édition jeunesse
par Marie du Plateau

Christopher GOLDEN
et Nancy HOLDER

La piste des guerriers

D'après la série créée par Joss Whedon

Édition Jeunesse

Titre original :
Blooded

Collection dirigée par
Patrice DUVIC et Jacques GOIMARD

Loi n° 49-956 du 16 juillet 1949 sur les publications
destinées à la jeunesse : octobre 2001.

ISBN 2-266-11546-4

PROLOGUE

Willow était presque arrivée chez elle. Giles avait proposé de la raccompagner en voiture, mais elle avait insisté pour rentrer à pied. Elle voulait réfléchir.

Depuis que Willow savait que Sunnydale était bâtie sur la Bouche de l'Enfer, elle se sentait obligée d'être aux côtés de Buffy dans la lutte contre les forces des ténèbres. La Tueuse de vampires était infatigable, s'entraînant sans cesse pour garder la forme. Willow, elle, n'aurait jamais supporté d'être l'Élue : protéger le monde à longueur de temps n'était pas dans ses cordes.

— J'ai besoin de sommeil, marmonna-t-elle.

Ce fut alors qu'elle se sentit soulevée de terre et projetée contre le mur de la pizzeria *Mona Lisa*.

Sonnée, la jeune fille leva la tête vers ses agresseurs : deux types grands et musclés, mais leurs visages restaient dans l'ombre. Le premier portait une veste en jean, le second un chandail noir.

Défends-toi, se dit la jeune fille, mais, tétanisée, elle ne put que les regarder d'un air stupide. Elle n'arrivait même pas à ouvrir la bouche pour crier.

Le type à la veste en jean fit un pas vers elle.

Willow se releva enfin et se mit à courir.

— Tu t'en vas déjà ? ricana son agresseur. Reste encore un peu…

Il la rattrapa, l'empoigna et la jeta sur le sol. Willow sentit sa tête heurter le trottoir, son poignet se tordre sous elle. Puis les ténèbres l'engloutirent.

1

Lundi matin. Ces mots suffisaient à faire frissonner d'appréhension les plus studieux des lycéens. Et dire que les adultes croyaient mener une vie difficile !

Tout de même, c'était une belle matinée. Les oiseaux chantaient ; une odeur de fleurs flottait dans l'air, et le soleil brillait de mille feux. Buffy en aurait oublié qu'elle vivait sur la Bouche de l'Enfer.

Pour l'heure, la jeune fille tremblait de peur. Tout son courage de Tueuse ne pouvait rien contre l'angoisse qui lui tordait l'estomac ; elle allait devoir affronter le plus redoutable de ses ennemis : une interro de maths. Elle n'avait pas révisé, et pas question de se pointer avec un billet, genre : « Veuillez excuser Buffy de ne pouvoir participer au cours, elle a passé toute la nuit à patrouiller dans les rues de Sunnydale à la recherche de vampires. »

Plus rien ne pouvait la sauver.

— Attention, chaud devant ! hurla Alex en jaillissant derrière elle.

Il pila, sauta à terre et appuya sur l'avant de son skateboard de la pointe de son pied pour opérer un retournement. La planche atterrit dans ses bras ; il la glissa sous son aisselle du même geste vif que Buffy lorsqu'elle épaulait son arbalète.

La jeune fille ne put réprimer un sourire. Ses amis avaient appris quelques trucs à son contact.

— Salut, dit-elle. Où est Willow ?

Alex inclina la tête sur le côté en haussant un sourcil.

— Aucune idée.

Buffy grimaça.

— Désolée... D'habitude, vous êtes inséparables, comme les Spice Girls...

— Ça doit faire longtemps que tu n'as pas regardé la télé, pas vrai ? Et d'une, les Spice Girls sont cinq, et de deux, pas si inséparables que ça puisque Geri vient de quitter le groupe, déclara Alex d'un ton supérieur.

— D'accord, je suis trop occupée pour suivre l'actualité, soupira Buffy. Mais tu vois ce que je veux dire.

— Tu nous prends pour des siamois, c'est ça ? Eh bien, ce matin, j'avais quelque chose à faire avant de venir à l'école, expliqua Alex.

— Déposer la cape noire de Batman au pressing, peut-être ?

— Tst, tst ! Si je ne suis pas avec Willow ce matin, c'est entièrement la faute de cette traîtresse de Catwoman !

— Encore elle ? fit Buffy, feignant l'agacement. Ne me dis pas qu'elle t'avait kidnappé pour faire de toi son esclave !

Alex désigna une silhouette familière qui s'approchait d'eux, vêtements de marque impeccablement repassés, longs cheveux bruns soigneusement lissés.

— Quand on parle de casse-pieds…

À en juger par son expression, Cordélia Chase avait quelque chose de très important à leur dire.

Buffy leva les yeux au ciel.

— Ça va encore être ma faute si elle s'est cassé un ongle ou si elle a filé ses collants…

— Il faut que je vous parle, annonça Cordélia en jetant un coup d'œil autour d'elle.

Aucun de ses amis branchés ne devait la voir en leur compagnie.

— Salut, Cordy ! clama gaiement Alex. Combien de garçons as-tu repoussés aujourd'hui ?

— Aucun.

— Bah, la journée ne fait que commencer.

Cordélia haussa les épaules et se tourna vers Buffy.

— Je dois absolument savoir si des événements bizarres sont prévus pour le week-end prochain : c'est la Nuit des rats-garous ou quelque chose dans le genre. J'ai des projets pour samedi soir, et je ne veux pas qu'ils tombent à l'eau sous prétexte qu'un monstre en aurait après toi.

— Buffy ne se sépare jamais de son calendrier des Malédictions, ricana Alex, elle va te dire ça tout de suite.

Cordélia fit mine d'ignorer la remarque.

— Tu sais que ta vie aurait pu être différente sans ces nazes ?

Oui, Buffy aurait aimé mener une vie d'adolescente normale et être invitée à toutes les soirées, comme lorsqu'elle vivait à Los Angeles. Mais depuis qu'elle avait découvert ses dons de Tueuse, son existence avait radicalement changé. Là n'était pas le problème ! Buffy savait que Cordélia faisait allusion à son amitié avec Willow Rosenberg, qu'elle ne cessait d'humilier. Quant à Alex, Willow et lui étaient inséparables depuis la maternelle.

Buffy n'avait pas tardé à passer tout son temps en leur compagnie. Ils étaient ses amis dévoués et fidèles. Entre eux et Cordélia, la jeune fille n'hésitait pas une seconde.

— Tu as la mémoire bien courte, railla-t-elle. As-tu oublié que tu sors avec l'un de ces nazes ?

— Hé ! protesta Alex, vexé, il existe peut-être un terme moins insultant ?

Cordélia le foudroya du regard.

— Non.

— Le jour où le diable te rendra ton âme, tu regretteras toutes ces méchancetés, grommela Alex.

La jeune fille plissa les yeux.

— Ha ha ! dit-elle sans la moindre trace d'humour. Ce que tu peux être drôle…

— Mais j'embrasse fantastiquement bien, répliqua Alex en levant le menton.

Cordélia pinça les lèvres, puis consentit à sourire.

— Fantastiquement, c'est un peu exagéré.

— Tu es bien placée pour en juger, concéda Alex.

Furieuse, Cordélia serra les poings et s'éloigna à grands pas.

— Il faudra que tu m'apprennes comment tu fais pour la mettre en rage, lâcha Buffy, admirative. Ça peut toujours être utile.

Alex fit mine de s'étirer et croisa les mains derrière sa tête.

— Question de synchronisation, petit scarabée, dit-il. Elle bondit, tu pares... Et tu lui plonges ton pieu dans le cœur.

— Je ne veux rien savoir de plus, marmonna Buffy. Franchement, je ne comprends pas ce qui se passe entre vous, mais tu as le chic pour repérer ses points faibles.

— Ou les craquelures de son fond de teint, rigola Alex. Tu as remarqué qu'elle en met toujours un paquet ? Ça fait vraiment mauvais genre. Tu devrais peut-être le lui faire remarquer...

— Pas bête. J'attendrai l'occasion, approuva Buffy.

— Mieux encore, demande à Giles de s'en charger à ta place. Ça, ça la rendra vraiment folle, renchérit Alex.

Buffy aperçut Willow assise sur le banc où ils se retrouvaient chaque matin. Son amie portait un chandail marron jeté sur ses épaules ; comme d'habitude, elle avait le nez plongé dans un livre.

Autrefois, elle s'intéressait surtout aux manuels scientifiques et aux guides sur Internet. Mais depuis qu'elle connaissait Buffy, ses préférences allaient exclusivement aux ouvrages traitant de créatures démoniaques.

Dommage que Willow ne soit pas l'Élue, songea Buffy. Elle en savait beaucoup plus sur l'univers merveilleux de la Tueuse qu'elle-même. À sa place, elle aurait pu botter les fesses des vampires tout en leur récitant de mémoire le calendrier des jours fériés démoniaques. Giles, le Gardien de Buffy, aurait été aux anges.

— Salut, Will, dit Alex. Je t'ai appelée hier soir pour que tu viennes pratiquer une transplantation cardiaque d'urgence sur mon devoir de biologie, mais tu n'as pas décro…

Le jeune homme s'interrompit et saisit l'avant-bras de Buffy. Celle-ci se précipita au côté de Willow.

— Qu'est-ce qui t'est arrivé ? demanda-t-elle en s'agenouillant près de son amie.

Le visage de Willow était couvert d'ecchymoses et d'égratignures et elle avait un poignet dans le plâtre.

— Willow ? s'écria Alex. Tu as eu un accident ?

— Je me suis fait agresser, dit-elle piteusement.

— Par des vampires ?

— Non, rien de surnaturel, le rassura Willow. C'est arrivé avant-hier soir, pendant que je rentrais chez moi à pied.

— Je croyais que Giles devait te ramener, protesta Buffy.

— Oh… J'avais envie d'être un peu seule, avoua son amie. Pour réfléchir.

— Tu aurais pu attendre d'être en sécurité dans ta chambre, fit remarquer Alex.

— Qui était-ce ? insista Buffy.

— Je ne sais pas, avoua Willow, honteuse. Deux types. Ils m'ont sauté dessus pour me prendre ma montre et l'argent que j'avais dans mon sac… Vingt malheureux dollars.

— Ils t'ont cassé le poignet ? gronda Buffy.

Willow secoua la tête.

— C'est juste une vilaine entorse. Je me la suis faite en tombant, quand ils m'ont poussée.

— Pourquoi ne nous as-tu pas appelés ? demanda Buffy.

En rentrant chez elle, le premier réflexe de Willow avait été d'appeler ses amis et, sans savoir pourquoi, quelque chose l'avait poussée à reposer le téléphone.

Elle ne put réprimer un sourire. Elle avait de la chance d'avoir de si bons amis… Même si, dans le cas d'Alex, elle aurait aimé que ça aille un peu plus loin. Mais depuis le temps, elle avait perdu espoir ; maintenant, elle avait Oz.

— Je ne sais pas, souffla-t-elle. Je n'avais pas envie de parler.

— Je comprends, la rassura Buffy.

Willow sut qu'elle ne mentait pas.

— Écoute, les cours ne vont pas tarder à commencer, dit Buffy, et j'ai promis à Giles de passer le voir avant. Ça va aller ?

— Bien sûr, dit Willow d'une toute petite voix. Ne t'en fais pas pour moi.

— Allons, Willow, la réprimanda doucement Alex en voyant une larme rouler sur sa joue. (Il l'attira contre sa poitrine et lui embrassa le front.) Tout va bien à présent.

— Non, ça ne va pas du tout, sanglota la jeune fille tandis que Buffy disparaissait à l'intérieur du bâtiment. Je ne suis bonne à rien. Incapable de me défendre.

Willow ne s'était jamais sentie aussi triste. Depuis des années, elle rêvait qu'Alex la prenne dans ses bras ; quand il finissait par le faire, c'était uniquement parce qu'il avait pitié d'elle ! Jamais il n'aurait eu pitié de Buffy.

— Tu devrais peut-être demander à Buffy de t'entraîner, suggéra le jeune homme.

— Hein ? renifla Willow. Je ne serai jamais comme elle, tu le sais bien. J'ai tellement peur chaque fois que je vois un vampire !

— N'empêche que c'est toujours grâce à toi, la plus intelligente, que les autres s'en sortent…

— Et toi, tu es le play-boy de service.

Alex écarta les mains en signe d'impuissance.

— Ce n'est pas ma faute !

Willow renifla encore un peu, mais les paroles de son ami avaient porté leurs fruits. Déjà, elle se sentait mieux. Elle sortit un Kleenex de sa poche et se moucha bruyamment.

— Salut, vous deux ! dit une voix qu'ils connaissaient bien.

Willow essuya ses larmes en hâte et leva la tête vers son petit ami, Oz. Il était en terminale au lycée de Sunnydale ; son groupe, *Dingoes Ate My Baby*, jouait souvent au *Bronze*. À chaque pleine lune, il se changeait en loup.

Voyant l'inquiétude dans ses yeux, Willow se força à sourire.

— Que t'est-il arrivé ? balbutia Oz.

— Je suis tombée, déclara la jeune fille, avant qu'Alex ne vende la mèche... Je repeignais la façade, chez moi, et je suis tombée de l'échelle, improvisa-t-elle.

— Pas de chance, fit Oz. Je suis très impressionné... tu repeins ta façade. (Il saisit le sac à dos de Willow, posé à ses pieds.) Viens : la cloche ne va pas tarder à sonner. Je porterai tes affaires.

— D'accord.

La jeune fille se leva. Elle jeta un coup d'œil à Alex. Il lui sourit comme un grand frère l'aurait fait.

Même si elle aimait beaucoup Oz, Willow aurait voulu qu'Alex soit jaloux. Malheureusement, il n'éprouvait pour elle que de l'amitié. Oz, lui, ne regardait personne d'autre que Willow. Il avait l'air de la trouver parfaite et, de son côté, il était plutôt mignon...

Les trois amis pénétrèrent dans le bâtiment et se dirigèrent vers leur salle de cours.

— Mon Dieu, Willow, que t'est-il arrivé ? s'exclama Cordélia.

Comme d'habitude, cette dernière était accompagnée de ses groupies qui l'imitaient en tout, mais ne lui arrivaient pas à la cheville en matière de sarcasme.

— Bonjour, chère Cordélia, dit Alex avec une politesse affectée.

Cordélia tenait beaucoup à ce que personne ne soit au courant de la relation qu'elle entretenait avec Alex, sinon, elle risquait de perdre son statut d'icône de la mode, conquis de si haute lutte.

Alex la fixa en essayant de lui transmettre un message télépathique. *Ne t'avise surtout pas de te montrer méchante avec Willow.* Peine perdue.

— Tu es tombée de ton tricycle, ou c'est une tentative pour attirer l'attention sur toi ? railla Cordélia en désignant le bras et la joue de Willow.

— Ne fais pas ça, dit Alex.

— Quoi ?

— Je sais bien que les gens de ton espèce s'attaquent de préférence aux faibles et aux vieux, mais interdiction de toucher à Willow aujourd'hui.

— Mais je…

Interloquée, Cordélia referma la bouche sans terminer sa phrase.

— Tu allais justement nous accompagner à la bibliothèque pour consulter le calendrier des rassemblements de fous et de possédés, fit Alex.

— Ça te dérangerait de parler plus clairement ? lança une des groupies de Cordélia.

— Je parle le même langage que Cordy, c'est tout ce qui compte, répliqua Alex. Pas vrai ?

La jeune fille rejeta en arrière sa longue chevelure brune. Elle n'avait pas l'habitude qu'on lui rabatte le caquet.

— Peu importe. Je n'ai pas de temps à perdre avec toi, déclara-t-elle, méprisante. Le bus part pour le musée dans cinq minutes.

Alex fronça les sourcils, puis son visage s'éclaira.

— Oh, la sortie ! (Il l'avait complètement oubliée.) Quelle bonne surprise pour un lundi matin !

— Surtout pour Buffy, acquiesça Willow. Si nous montrons beaucoup d'intérêt pour l'exposition, nous arriverons en retard pour le cours de maths, et Mlle Hannigan devra reporter son interro.

— Miséricorde ! s'exclama Giles en s'approchant du groupe avec Buffy. Pauvre Willow...

— Vous étiez censé la raccompagner ! s'exclama la jeune fille.

— C'est vrai, acquiesça le bibliothécaire en prenant un air contrit. Mais elle a tellement insisté pour partir seule...

— C'est bizarre, moi, je n'arrive jamais à rien avec vous, même en insistant, grommela Buffy.

— Hé ! lança Alex, vous vous souvenez qu'on a une sortie ce matin ?

Le visage de Buffy s'éclaira.

— Je suis sauvée ! dit-elle en battant des mains. (L'ombre d'un doute passa dans son regard.) La visite dure combien de temps ?

— Suffisamment, je pense, dit Alex en lui adressant un clin d'œil.

— Il y a beaucoup à voir, d'après le catalogue, renchérit Giles.

Ils se dirigèrent vers le parking du lycée.

— Ça fait des mois que je pense à cette exposition sur la culture japonaise médiévale, continua Giles. Elle a parcouru le monde entier avant d'arriver à Sunnydale.

— La culture japonaise médiévale, dit Buffy… passionnant !

— Ça te distraira, lui assura Giles. Tu en as bien besoin.

— Je sens que je vais m'amuser comme une petite folle.

2

Alors que le bus se garait sur le parking du musée, Buffy appuya sa tête contre la vitre et poussa un gros soupir.

— Quel ennui ! Je préférerais faire ma ronde nocturne, marmonna-t-elle.

— Hé ! intervint Alex. Qu'est-ce que je vois là ?

Il s'était retourné vers les deux jeunes filles, qui occupaient les sièges derrière lui, et leur agitait sous le nez un index moralisateur.

— Je ne me rappelle pas vous avoir donné la permission de faire la tête, les réprimanda-t-il. D'accord, le musée n'est pas l'endroit le plus cool du monde. D'accord, la dernière fois que nous sommes venus ici, nous avons rencontré une jeune dame particulièrement séduisante et exotique qui… qui en pinçait pour moi, je dois le reconnaître… D'accord, c'était une ancienne momie Inca et j'étais bien trop jeune pour elle…

Il pencha la tête et loucha en esquissant un rictus de dément.

— … mais c'est le musée ou… l'interroooo de maaaths, dit-il d'une voix caverneuse.

— Monsieur Harris ! cria une voix au fond du bus. Pourriez-vous vous tenir tranquille ?

— Ah, soupira Alex, le professeur a parlé. Je dois me taire… ou mourir…

Willow mit une main sur sa bouche pour dissimuler son sourire.

Buffy fut soulagée : depuis leur départ, son amie semblait très déprimée.

— J'ai effectué quelques recherches pour vous hier soir, souffla Willow.

Elle faisait allusion à M. Morse qui remplaçait depuis quelques semaines un de leurs professeurs. C'était un petit bonhomme au cheveu rare ; seule une mèche grasse en travers de son crâne dissimulait sa calvitie galopante. Il prenait tous ses étudiants pour des abrutis et ne s'en cachait pas. À chaque cours il posait sur son bureau une énorme pile de livres en annonçant : « J'ai effectué quelques recherches pour vous hier soir », comme si c'était là une faveur dont les élèves devaient lui être reconnaissants.

Le bus s'immobilisa et les élèves sortirent à la queue leu leu. Alors que les deux jeunes filles passaient devant Giles, le bibliothécaire posa une main protectrice sur l'épaule de Willow. Buffy éprouva une soudaine bouffée d'affection pour lui. La plupart du temps, elle râlait parce qu'il lui imposait une discipline trop sévère. Mais le bibliothécaire lui avait appris pratiquement tout ce qu'elle savait. C'était grâce à lui qu'elle ne s'était pas encore fait tuer en remplissant ses devoirs d'Élue.

— En fait, cet endroit est plutôt cool, admit Buffy tandis qu'ils avançaient dans le musée.

Les salles présentaient une grande variété d'armes issues de cultures et d'époques différentes.

— Cela dit, je me demande où ils se procurent tous ces trucs. On se croirait dans un musée de Los Angeles !

— Au fond, dit Alex, Sunnydale n'est pas si différent de Los Angeles : il suffit d'enlever toutes les stars, les studios de cinéma, les restaurants chic, les filles incroyablement belles…

Buffy et Willow lui firent les gros yeux.

— … mais complètement artificielles, rectifia très vite le jeune homme. De vraies poupées Barbie… Beurk.

— Tu es malade ou quoi ? intervint Cordélia en les rejoignant. C'est génial, Los Angeles !

— En parlant de poupées Barbie… lâcha sèchement Alex.

Depuis que Cordélia et Alex étaient ensemble, ils se lançaient des vannes de plus en plus sévères. *Ah ! l'amour…* pensa Buffy.

— Moi, je trouve que nous avons de la chance, déclara Willow. Cet endroit est très réputé. Parfois, on y voit des expositions qui n'ont même pas été présentées à Los Angeles !

— C'est justement ce qui m'échappe, protesta Buffy. Qu'a donc de si spécial Sunnydale ?

— Sans aucun doute ses animations nocturnes, suggéra Alex.

— De quel genre d'animations nocturnes parles-tu, Alex ? demanda Willow en détaillant Cordélia d'un air soupçonneux.

— Ce que tu peux avoir l'esprit mal placé, Willow ! Je parlais évidemment de la très populaire Nuit des rats-garous. N'est-ce pas à ça que tu songeais, Cordy ?

Furieuse, sa petite amie secoua la tête sans répondre.

— Sérieusement, Willow, reprit Alex, pourquoi ce musée est-il si riche ?

— Pour une raison évidente, expliqua la jeune fille, il bénéficie d'importantes donations. Apparemment, beaucoup de gens célèbres sont originaires de Sunnydale ; et ils se sont montrés généreux. Allez, continuons la visite, suggéra-t-elle.

Ils passèrent dans le hall des expositions itinérantes, un labyrinthe de salles remplies d'œuvres d'art et de reliques du Japon médiéval. Buffy fut immédiatement fascinée. C'était tellement loin de la culture occidentale !

Dans la deuxième salle, les jeunes gens virent Giles en extase devant une sorte de jardin en plastique.

— Ah, vous voilà ! Ne trouvez-vous pas cette exposition merveilleuse ?

— « Merveilleuse » est un peu exagéré, disons pas aussi ennuyeuse que je m'y attendais, acquiesça Buffy. (Elle fronça les sourcils à la vue d'un petit pont rouge et d'arbres miniatures.) Qu'est-ce que c'est ?

— Hum ? marmonna Giles. Ça ! Très impressionnant. Il semble que, à une époque, Sunnydale ait été jumelée avec la ville de Kobé.

— Ce n'est pas là qu'il y a eu un terrible tremblement de terre ? s'enquit Alex.

— Si.

— Pour une coïncidence… s'étonna Willow. Je veux dire, c'est bizarre qu'on en ait eu un aussi.

— C'est exactement ce que je me disais, murmura Giles en remontant ses lunettes sur son nez. Et je ne suis pas certain du tout qu'il s'agisse d'une coïncidence.

— Je ne vois pas de quoi vous voulez parler, ni le rapport avec ces bonsaïs, dit Buffy en promenant son regard sur les autres objets exposés alentour.

— C'est un jardin d'amitié, expliqua Giles. Les gens de Kobé en avaient planté un vrai à Sunnydale, une reconstitution de celui qu'ils avaient chez eux. Après le tremblement de terre de Sunnydale, il fut laissé à l'abandon et toute sa végétation mourut. Mais ça n'avait rien de naturel. Les autorités locales ont fait venir des botanistes pour tenter de le sauver, sans aucun résultat.

— Donc, c'est arrivé juste après que la Bouche de l'Enfer s'est ouverte sous notre ville, en déduisit

Alex. Quelle est votre conclusion : invasion d'une armée de vampires végétariens ?

— Eh bien, il ne s'agit encore que d'une hypothèse, mais…

— Giles, vous savez bien que vos hypothèses sont presque aussi fiables que les prédictions de l'oracle de Delphes, intervint Buffy.

Quatre paires d'yeux étonnés se tournèrent vers elle.

— Ben quoi ? protesta la jeune fille. Willow me donne des cours de rattrapage en histoire. Je ne suis pas si nulle que ça !

— Summers, dit une voix geignarde à l'autre bout de la pièce, dans votre propre intérêt, j'espère que vous en saurez assez pour réussir votre examen de fin de semestre.

Pour toute réponse, Buffy fit à M. Morse un sourire des plus suaves. Puis, avec un soupir, la jeune fille reporta son attention sur Giles.

— Vous disiez ?

— Je trouve bizarre que notre jardin soit mort après le tremblement de terre, et que la ville jumelée avec Sunnydale ait subi le même genre de séisme peu de temps après.

— Attendez… Vous pensez que Sunnydale a provoqué un tremblement de terre de l'autre côté de la planète en… contaminant une ville par le biais de son jardin ? demanda Alex, incrédule.

— Présenté de cette façon, ça semble un peu ridicule, reconnut Giles. Tout de même, la coïncidence est étrange.

— La seule chose qui m'intéresse, c'est de savoir si elle m'obligera à tuer quelqu'un, déclara Buffy.

Le bibliothécaire haussa les épaules.

— Comment veux-tu que je le sache ?

— Dans ce cas, tâchons de voir le reste de l'expo. M. Morse a menacé de nous coller une interro, et je ne peux pas me permettre de récolter encore une mauvaise note.

Buffy s'éloigna.

— Vas-y. Je ne voudrais surtout pas être un obstacle à ton éducation, railla Giles.

Le petit groupe se sépara. Alex se passionna pour tout ce qui concernait les samouraïs. Il lut toutes les informations sur leur mode de vie, observa tous les dessins et détailla toutes les armures.

— Ces gars-là se la coulaient douce, affirma-t-il en rejoignant Buffy.

— Tu parles ! Si quelqu'un leur cherchait des noises, ils le taillaient en pièces sans que personne ne pose la moindre question. C'est le genre de privilège qui m'arrangerait bien.

Alex parut choqué.

— Ils tuaient des humains, Buffy. Ce n'est pas tout à fait la même chose.

— C'est encore plus injuste. Je crains toujours d'avoir des ennuis avec la police, alors que les gens que j'embroche ne sont même plus vivants.

Soudain, Cordélia apparut derrière Alex.

— C'est vraiment dégoûtant ! s'exclama-t-elle. Vous saviez que, dans le Japon médiéval, les femmes mariées s'épilaient les sourcils ? Jusqu'au dernier poil, je veux dire.

Buffy et Alex la dévisagèrent en silence.

— Mais ce n'est pas tout, insista Cordélia, elles se peignaient le visage en blanc et les dents en noir !

Buffy frémit.

— Ça, c'est vraiment dégoûtant, acquiesça-t-elle.

— Tu pourrais faire un tabac dans les défilés parisiens, Cordy, si tu leur ramenais la mode du Japon médiéval, railla Alex. Ce serait un coup sensationnel… fatal pour l'industrie du dentifrice, mais sensationnel.

Cordélia plissa les yeux.

— Toi, je ne te parle pas ! cria-t-elle.

Elle s'éloigna d'un pas vif.

Willow avait vaguement espéré qu'Oz participerait à la sortie. Après avoir visité toutes les salles, elle dut se rendre à l'évidence : il n'était pas là. Ses amis avaient fait de leur mieux pour la distraire, et ils y avaient réussi… mais en partie seulement.

— Hé, Will !

La jeune fille se détourna et vit que Buffy l'avait rejointe. Elle ne l'avait même pas entendue approcher.

— Hello, soupira Willow.

— Tu as trouvé quelque chose d'intéressant ? s'enquit son amie avec une gaieté forcée.

Un peu de couleur monta aux joues de Willow.

— Oui, j'ai adoré la vitrine consacrée au *kabuki* et au théâtre *nô*.

— Ah ? J'ai dû passer devant sans la remarquer, avoua Buffy, penaude. Je suis sûre que M. Morse va nous poser des questions là-dessus. Où se trouve-t-elle ?

— Je vais te la montrer, proposa Willow.

Les deux jeunes filles passèrent dans une salle adjacente. Willow expliqua à Buffy tout ce qu'elle savait sur le *kabuki*, et lui désigna les masques qu'elle trouvait les plus réussis.

— Et toi ? demanda-t-elle enfin. Tu as trouvé quelque chose qui te plaît ?

Les yeux de Buffy se mirent à pétiller ; elle traîna Willow dans une salle remplie d'armures et d'armes.

— J'aurais dû m'en douter, murmura Willow en hochant la tête.

— Je n'avais encore jamais rien vu de pareil, s'anima Buffy. Les forgerons japonais étaient incroyablement doués !

Le regard de Willow fut attiré par une épée accrochée au mur. Elle avait une lame grossière qui semblait davantage conçue pour assommer quelqu'un que pour lui transpercer le ventre. Une arme très éloignée de l'élégance des sabres traditionnels.

— Qu'est-ce que c'est ? s'enquit Willow.

— Étonnant, pas vrai ? sourit Buffy. Rien à voir avec un *katana* ou un *wakizashi*.

Willow secoua la tête. Son amie avait du mal à retenir les cours d'histoire ou de maths, mais dès qu'il s'agissait d'armes... Elle lut à voix haute le texte inscrit sur la plaque descriptive.

— « Ce type d'épée, appelée *ken*, est en réalité d'origine chinoise. On l'utilisait au Japon pendant le VIIe siècle, avant qu'elle ne soit remplacée par le *daisho*. Ce modèle, récemment mis au jour dans les monts Chugoku, semble encore plus ancien... » Ouah...

— Lis la suite, dit Buffy. Tu vas adorer la partie mythologique.

Willow continua en silence.

« Après sa découverte, les habitants de la région ont affirmé qu'il s'agissait du *shin-ken*, la véritable épée de Sanno, une figure mythologique japonaise également connue sous le nom de Roi de la Montagne, qui vivait autrefois au sommet du mont Hiei, entre Tokyo et Kobé.

« Selon la légende, à laquelle les plus vieux fermiers de la région croient encore, le Roi de la Montagne protégeait le Japon contre l'invasion de forces surnaturelles étrangères (une allusion évidente aux relations tendues entre le Japon et la Chine à cette époque).

« Cette théorie est confortée par le mythe qui entoure la plus grande bataille de Sanno, au cours de laquelle le Roi de la Montagne vainquit un vampire chinois nommé Chirayoju. Celui-ci voulait dévorer l'empereur du Japon pour détruire son peuple. Apparemment, ni Sanno ni Chirayoju n'ont survécu à cette confrontation. »

Willow en resta bouche bée.

— Tu ne penses quand même pas que ce Sanno était l'équivalent japonais d'une Tueuse ?

Buffy cligna des yeux.

— Un type avec une grosse épée qui vivait en haut d'une montagne et laissait ses ennemis venir à lui ? Ça m'étonnerait. C'est juste une légende. Je pensais que ça t'intéresserait, c'est tout.

— Tu as raison, acquiesça Willow. C'est très différent des légendes vampiriques que nous connaissons.

Mais ce qui la fascinait surtout, c'était l'idée qu'un type ordinaire — pas un Élu —, armé de sa seule épée, arrive à se défendre contre les forces des ténèbres.

Willow se demanda si, avec un peu d'entraînement, elle ne pourrait pas en faire autant.

— Tu sais, dit-elle sans réfléchir, depuis le temps que je te donne des cours de rattrapage, je pensais que tu pourrais peut-être me rendre la pareille.

— Quel genre de cours pourrais-je te donner ? s'étonna Buffy. C'est toi, l'intello.

— Tu pourrais m'apprendre à me battre, chuchota-t-elle.

Buffy réussit à sourire et à froncer les sourcils en même temps.

— Tu te débrouilles déjà pas mal.

Willow leva son poignet plâtré.

— Tu trouves ? répliqua-t-elle assez sèchement. La vérité, c'est que j'ai eu beaucoup de chance jusque-là. Mais je ne veux pas être un poids pour toi, Buffy. Je refuse que tu sois tout le temps obligée de me protéger.

— Will, ce n'est pas ta faute si ces types t'ont attaquée. Et crois-moi, il y aurait une nouvelle Élue depuis longtemps si Alex et toi n'aviez pas été là pour me prêter main forte. D'accord, je me débrouille mieux que vous avec les objets pointus. Et alors ?

— Je me sentirais mieux si j'étais capable de me défendre seule, lâcha Willow. J'aimerais tellement savoir me servir d'une arme comme ça ! Plus personne ne s'en prendrait à moi.

— Surtout si tu étais assez costaude pour la soulever, dit Buffy.

Willow fit courir ses doigts le long de la lame jusqu'au tissu qui enveloppait la garde de l'épée. Sous les bandelettes entrecroisées, on devinait trois disques métalliques couleur de bronze. La jeune fille se pencha pour déchiffrer les inscriptions gravées dessus...

Un des disques tomba à ses pieds. Rougissant, Willow le ramassa et voulut le remettre à sa place. Au lieu de cela, elle caressa de nouveau la lame de l'épée.

— Tu ne devrais peut-être pas... commença Buffy.

Trop tard. Willow poussa un cri de douleur et retira sa main. Du sang perlait au bout de son index droit et la coupure semblait assez profonde.

— Ouh là là ! Ça doit faire mal, dit Alex en rejoignant les deux jeunes filles.

Willow sursauta et se retourna, sur le qui-vive.

— Bas les pattes ! cria-t-elle.

Surpris, Alex cligna des yeux.

— Qu'est-ce que je t'ai fait ?

— Rien du tout. Je suis un peu nerveuse à cause de mon agression, c'est tout. Sortons d'ici.

— Bonne idée, approuva Buffy. Je pense que l'heure de l'interro de maths est passée.

— Tant mieux pour toi, marmonna Willow.

Elle n'avait qu'une envie : rentrer chez elle pour se mettre au lit.

Sans s'en apercevoir, elle glissa le disque de bronze dans sa poche.

3

Quand le bus entra dans le parking du lycée, Willow se sentit prise de nausée.

— Je te trouve bien pâle, fit remarquer Alex.

Willow réalisa qu'elle ferait mieux de rentrer chez elle. Même M. Morse se montra gentil avec elle.

— Pas de problème, mademoiselle Rosenberg, dit-il en hochant la tête et en la poussant vers Giles. Je vais dire au proviseur que vous êtes malade. Rentrez chez vous pour vous reposer. Il faut que vous soyez en forme pour le grand jeu télévisé que j'organise demain.

Soudain, la jeune fille eut l'impression que tout était déformé, comme si elle évoluait dans un jeu virtuel où se promenaient des morceaux de sa propre vie.

Giles raccompagna Willow et, pendant le trajet, il tenta de lui faire la conversation. Comme la jeune fille ne répondait pas, il renonça très vite.

Willow se coucha à deux heures de l'après-midi et ne se réveilla pas avant le lendemain matin. Elle avait dormi d'un sommeil aussi profond que la mort.

— Salut, zombie ! s'exclama Alex quand Willow entra dans la bibliothèque.

Pour la première fois depuis la veille, la jeune fille lui adressa un vrai sourire.

— Je sais que je ne suis pas à mon avantage, mais je me sens beaucoup mieux.

— Super ! dit Alex. J'étais très inquiet que tu ne me rappelles pas hier soir. Ta mère ne voulait pas te réveiller, alors je suis resté debout toute la nuit tellement je me faisais du souci.

Willow haussa un sourcil.

— Tu es sûr ?

— Je me suis endormi devant les infos de dix heures, avoua Alex. Ce qui ne veut pas dire que je ne m'inquiétais pas. Je suis vraiment content que tu ailles mieux.

Willow hocha la tête.

— Et moi donc ! Je ne sais pas ce qui m'est arrivé hier. J'avais l'impression de perdre complètement pied. C'était comme une migraine monstrueuse, sauf que je n'avais pas mal à la tête. Bref, je suis enfin de retour parmi les humains.

— Heureusement, dit Alex. Sinon, tu sais quel sort Buffy te réserverait...

— D'ailleurs, où est-elle ? demanda Willow en balayant la bibliothèque du regard. Je ne l'ai pas vue de la journée.

— Tu es prêt ? fit une voix.

Willow et Alex se retournèrent en même temps. Cordélia se tenait derrière eux et affichait le même air impatient que d'habitude, comme si elle avait des milliers de choses à faire en sortant du lycée. Willow ne comprenait décidément pas ce qu'Alex faisait avec elle, mais elle se garda d'émettre la moindre remarque.

— Salut, Cordélia, dit-elle faiblement.

— Salut, Willow. Tu te sens mieux ?

— Encore un peu fatiguée. J'ai *comaté* pendant près de dix-sept heures mais, globalement, ça va beaucoup mieux.

Alex poussa Cordélia vers la porte avant qu'elle ne fasse d'autres commentaires. Willow se dirigea vers l'ordinateur de la bibliothèque et l'alluma. Elle passait le plus clair de son temps libre à explorer les forums, répondre à son courrier électronique ou effectuer des recherches pour Giles et Buffy. En ligne, elle était toute-puissante et confiante en ses capacités. Une vraie sorcière de l'Internet.

En se réveillant le matin même, elle avait su ce qu'elle devait faire : retrouver ses agresseurs. Car ce qui la tracassait était de n'avoir pas réagi.

Dès qu'elle se fut connectée à Internet, Willow entreprit de fouiller les archives des journaux du coin et les bases de données du commissariat de police.

Une demi-heure plus tard, la porte de la bibliothèque s'ouvrit, livrant passage à Buffy et à Giles. Willow ne leva pas les yeux de son écran.

— Réfléchis bien, Buffy, dit le bibliothécaire. Combien de voix démoniaques as-tu entendues à l'intérieur du Monsignor ?

— Vous savez, je n'ai pas vraiment eu le temps de compter, soupira Buffy. J'essayais seulement de rester en vie. Et je croyais qu'un seul démon pouvait occuper un corps donné à un moment donné.

— Oui, mais le Monsignor est... ou était... l'exception qui confirme la règle. Une noble italienne du XVIe siècle, une Médicis, me semble-t-il, avait fait jeter une malédiction qui attirait tous les démons de la ville de Florence à l'intérieur du corps de ce pauvre homme. Évidemment, ça a fini par le tuer, et il est devenu un vampire. Mais avant, sa... surpopulation intérieure l'avait rendu complètement fou. Du coup, tous les démons prisonniers de son corps sont devenus idiots, expliqua Giles.

Intriguée, Willow leva enfin la tête.

— C'est ce Monsignor que tu as combattu hier soir ? demanda-t-elle à Buffy.

Son amie acquiesça.

— Complètement maboul, mais Giles a l'air de le prendre pour une célébrité. Si j'avais su, je lui aurais réclamé un autographe avant de le tuer.

Vexé, le bibliothécaire se renfrogna.

— Pas du tout, renifla-t-il. Je trouve juste fascinant que la Bouche de l'Enfer attire autant de créatures considérées comme des mythes depuis plusieurs siècles. J'ai lu un journal de Gardien qui affirmait que le Monsignor était une simple légende.

— Maintenant, c'est vrai, fit remarquer Buffy.

— Tu l'as libéré de sa malédiction, approuva Giles, retrouvant sa bonne humeur.

Pendant que Willow poursuivait ses recherches sur Internet, Giles se soumit à une de ces séances d'entraînement aux armes et aux arts martiaux dont il ressortait habituellement couvert de bleus. Finalement, elle fit pivoter son siège pour observer Buffy qui décochait des volées de coups de pied sur le plastron rembourré du bibliothécaire avec une assurance que Willow doutait de jamais avoir.

Les deux adversaires saisirent alors de longs bâtons appelés *jo* et commencèrent à échanger attaques et parades.

Willow ne perdait pas une miette de leur combat.

— Et si on faisait une pause ? suggéra enfin Buffy.

Le bibliothécaire sembla soulagé d'avoir quelques minutes de répit. Il ôta son plastron et disparut. Buffy se dirigea vers son amie.

— Vas-tu enfin me dire ce qui te préoccupe ?

Willow eut un faible sourire.

— Je te regardais juste te battre avec Giles, et je me disais que ça devait être bien agréable de pouvoir se défendre comme ça.

— Tu es encore traumatisée par ton agression, pas vrai ?

Willow détourna le regard en haussant légèrement les épaules. Du menton, elle désigna l'écran de l'ordinateur.

— J'essaye de retrouver les types qui m'ont fait ça. Je cherche dans les archives de la police toutes les plaintes récentes, et je vérifie les rapports d'arrestations.

— Qu'est-ce que ça donne ?

— Des agressions à la pelle... Mais la plupart semblent avoir été commises par des vampires plutôt que par de grosses brutes.

Quand Buffy tendit une main réconfortante pour la poser sur son bras, Willow se recroquevilla sur elle-même. Elle voulait de l'aide, pas de la pitié.

— Écoute, tu ne pouvais absolument rien faire, dit Buffy. Ce n'était pas ta faute, et ça n'a pas grand-chose à voir avec le fait de savoir se battre ou non. Si tu avais résisté, ils t'auraient fait encore plus mal.

Willow sentit des larmes lui brûler les yeux.

— Tu ne comprends pas, cria-t-elle. Je n'ai même pas essayé de me débattre. Je n'en avais pas la force ; j'étais paralysée par la terreur ! Pourtant, combien de fois me suis-je retrouvée avec toi dans des situations vraiment dangereuses ? Là, ce n'était même pas le cas. Ces types ne voulaient pas me tuer, sinon je serais morte.

— Will... commença Buffy.

La jeune fille secoua la tête.

— Angel a essayé de me tuer une fois. Je sais bien que ce n'était pas vraiment lui, mais ça n'est pas la question. Il voulait ma mort, et je peux quand même le regarder en face. Je peux lui parler et lui tourner le dos, lui donner ma confiance.

Buffy voulut dire quelque chose, mais Willow l'en empêcha.

— C'est peut-être à cause de ce qu'il est, mais aussi de ce que je suis. Quand nous luttons ensemble, ce n'est pas seulement moi, Willow Rosenberg, qui combats tous ces vampires. C'est plutôt nous contre eux, tu comprends ? Mais seule dans la rue... j'ai paniqué. Je n'ai même pas essayé de me défendre. Je ne l'ai avoué à personne, encore moins à moi-même. C'est pour ça que je n'ai pas porté plainte.

— Quoi ? s'exclama Buffy, interloquée. Tu n'as rien dit à la police ?

— Bien sûr que non ! Comment aurais-je pu expliquer ce que je faisais toute seule dans la rue à une heure pareille, sans la permission de mes parents ?

— Oh, Will... Je suis désolée, souffla Buffy.

— Ce n'est pas ta faute, et je sais bien que ça n'est pas non plus la mienne. Mais j'aurais pu empêcher que ça se produise si j'avais été mieux préparée.

Pour une fois, il sembla à Willow que son amie ne savait pas quoi dire. *Tu vois bien qu'elle n'est pas parfaite*, lui murmura une petite voix intérieure.

— Giles et moi avons pratiquement fini, déclara Buffy. Si tu veux vraiment...

Elle désigna la zone de la bibliothèque où elle s'entraînait avec son Gardien.

C'est maintenant qu'elle me le propose, songea amèrement Willow, *après m'avoir laissée m'humilier devant elle...*

Elle fronça les sourcils. D'où lui venait ce ressentiment à l'égard de Buffy ? Son amie était pourtant pleine de bonnes intentions et croyait agir pour le mieux, même si elle se trompait. Mais la pitié qui se lisait sur son visage faisait bouillir Willow.

— Une autre fois, répondit-elle en se détournant. Je ne me sens pas encore complètement remise. (Elle agita son bras blessé.) Je vais continuer mes recherches, puis je rentrerai à la maison.

— Tu es sûre ? demanda Buffy, un peu vexée.

— Oui, ne t'inquiète pas, répondit Willow avec un sourire forcé.

Plus tard, après que Buffy fut partie, Giles étant occupé à classer ses précieux livres, Willow se remit à surfer sur Internet. Mais cette fois, elle ne cherchait plus d'informations sur ses agresseurs : elle se renseignait sur les armes blanches et la manière de s'en servir. Elle était intelligente ; elle arriverait bien à se débrouiller toute seule.

Il lui suffisait de regarder certaines épées pour imaginer leur poids dans sa main, puis sentir le contact de la garde entre ses doigts et entendre le sifflement de la lame plongeant vers sa cible, tranchant tendons et os.

Les yeux de Willow roulèrent dans leurs orbites, et elle faillit s'évanouir. Elle crut entendre une voix, peut-être celle de sa conscience, qui chuchotait dans sa tête.

Ouiiiiii...

Ses mains se refermèrent sur la garde d'une épée imaginaire.

Brusquement, Willow rouvrit les yeux.

— Ouah, souffla-t-elle tout bas.

Elle se releva en tremblant et rassembla ses affaires. Elle ne se sentait pas dans son état normal : les lycéennes ordinaires ne rêvaient pas d'épées.

Ni de meurtre.

4

La Grande Impératrice Wu s'inclina très bas devant le trône en forme de dragon aux ailes de jade déployées. Les yeux de perle brillaient d'une lueur maléfique sous la lueur des lampes.

On était en hiver, à l'aube, et un froid glacial régnait dans le palais.

Sur le trône siégeait le seigneur Chirayoju, ancien ministre de l'Intérieur. Il sourit et croisa les mains dans son giron. Ses ongles étaient pareils à des griffes, ses dents à des crocs teintés de sang.

Il venait juste de se nourrir. Wu elle-même lui avait amené sa victime, un brave homme qui ne méritait pas une fin aussi atroce.

— Dites-moi, Grande Impératrice, hurlent-ils de douleur ou de terreur? s'enquit Chirayoju en fermant les paupières, se délectant par avance de sa réponse.

— Je... je ne sais pas, balbutia Wu.

Chirayoju rouvrit ses yeux sans âme, les yeux de l'ambitieux sorcier qu'il avait été autrefois. Après avoir lutté des années durant pour arracher aux dieux les secrets de l'univers, il avait lui-même péri d'une mort terrible. Mais son sacrifice était le prix à payer pour accéder au pouvoir.

À présent c'était un immortel, un démon qui s'abattait tel un faucon sur les champs et les rizières de Chine. Impitoyable, il ordonnait au feu de dévorer les terres de ses ennemis et de brûler leurs fils et leurs filles.

Il était une force surnaturelle redoutable qui commandait le vent.

Chirayoju ouvrit la bouche, révélant ses crocs.

L'impératrice Wu frémit. Elle l'avait vu se nourrir de jeunes vierges aux pieds bandés, mais aussi de fiers seigneurs en armure qui luttaient comme des tigres jusqu'à leur dernier souffle. Chirayoju préférait de beaucoup ces derniers.

— Puisque vous ne savez pas, allons ensemble les observer, dit-il en se levant.

Ils se dirigèrent vers la porte dissimulée derrière un panneau de laque. Le démon tendit un index griffu ; la porte coulissa en silence devant lui.

L'entrée de la caverne était étroite ; Chirayoju invita l'impératrice à passer devant lui. Tandis qu'elle frôlait son corps froid comme la mort, il perçut sa terreur à la raideur de son cou et à la contraction de ses muscles.

Chirayoju eut un sourire ravi. Il se retint à grand-peine d'empoigner Wu pour lui arracher son cœur encore palpitant. Mais ce geste ne lui aurait apporté que quelques secondes de plaisir. Pour le moment, il avait encore besoin d'elle.

Ils pénétrèrent dans la première caverne, celle de la Vengeance, que Chirayoju illumina d'un geste. Bien qu'elle fût la plus petite des trois, son plafond était assez haut pour permettre à un dragon de s'y tenir debout. Des piles d'ossements humains s'alignaient contre les murs : les restes des ennemis les plus illustres du démon.

La deuxième caverne était celle de la Divination, où Chirayoju entreposait les trésors ayant autrefois appartenu à ses victimes. Le démon balaya d'un regard empli de fierté les coffres débordant de jade, de perles et d'argent avec lesquels il avait acheté la loyauté de l'impératrice.

C'était là qu'il gardait ses chaudrons carrés — grâce auxquels il avait effectué les sacrifices humains nécessaires pour invoquer le vampire qui avait pris sa vie humaine — et les piles d'os de dragon qui lui permettaient de prédire l'avenir.

Un avenir qui s'annonçait glorieux pour lui.

À l'intérieur de la troisième caverne, les murs étaient ornés de créatures mythiques et de crânes humains. Des piliers sculptés soutenaient le plafond. C'était la caverne de la Justice. Chirayoju y avait tué plus de vingt mille ennemis… dont celui qui l'avait transformé en vampire.

Chirayoju pencha la tête sur le côté, se repaissant de l'agonie, de la terreur, du désespoir et de l'horreur contenus dans les cris qui résonnaient dans la caverne : les quatre éléments de son règne, de son être même.

Alors que Wu reculait, il lui prit le coude et la força à avancer.

Au-dessous d'eux, dans une fosse, cinq cents hommes hurlaient tandis que des serpents et des rats affamés se jetaient sur eux pour les mordre ou les dépecer. Autour du périmètre, les gardes impériaux menaçaient de leur lance les malheureux qui essayaient de s'échapper.

Chirayoju observa ses ennemis. C'étaient des érudits et des scribes. Des hommes qui avaient osé s'opposer à lui dans leurs écrits. Leurs parchemins et leurs livres avaient déjà été brûlés, ainsi que leur famille, leurs amis et toute personne à qui ils auraient pu révéler la présence du seigneur maléfique au palais de la Grande Impératrice Wu.

— C'est seulement de la douleur, constata Chirayoju, déçu. (Puis son visage s'éclaira.) Mais je vais arranger ça.

Il fit un geste au-dessus de la fosse. Les parois s'ouvrirent et une légion de vampires se ruèrent sur la masse grouillante. Comme des rats, ils avaient été affamés durant des jours en prévision de cet événement. L'odeur du sang les rendit fous.

Chirayoju contempla le spectacle avec délice et envie. Lui aussi avait faim, mais il sentait une grande fatigue l'envahir tout à coup. C'était le signe qu'il attendait. Il pointa un doigt vers le plafond.

— Allons-nous-en, cria-t-il à l'oreille de l'impératrice. L'heure est venue.

Tandis qu'ils sortaient de la caverne de la Justice, Chirayoju serra le poing. Le plafond s'écroula, enterrant sous des tonnes de gravats les prisonniers, les gardes et les vampires...

Chirayoju et Wu retournèrent dans la salle du trône. Des secousses ébranlaient le palais et une alarme se déclencha. Un tremblement de terre ! Paniqués, les occupants du bâtiment allèrent chercher refuge auprès de leur impératrice.

— Et si certains avaient survécu ? demanda Wu d'une voix tremblante, tandis que courtisans et serviteurs se déversaient dans la salle du trône.

— Je m'en occuperai, promit Chirayoju.

Mais il mentait.

Une autre nuit tomba. Des survivants enragés envahirent le palais, n'épargnant personne dans leur fureur.

Un vampire aux crocs acérés arracha l'impératrice à son lit et la jeta sur le sol doré de sa chambre. Wu hurla :

— Chirayoju ! Aidez-moi !

Mais le démon traversait déjà l'océan. Il avait lu dans les os de dragon un seul mot : Japon.

5

— Willow, tu vas bien ? demanda sa mère en passant la tête par l'entrebâillement de la porte.

Allongée dans son lit, les couvertures tirées sous le menton, la jeune fille serra les poings.

Je suis dans une forme du tonnerre, avait-elle envie de crier. *C'est pour ça que je me couche en pleine journée.*

Son front était trempé de sueur. La chambre tournait autour d'elle, et elle devait fermer les yeux pour ne pas vomir. Pourtant, le crépuscule pénétrant entre les lames du store vénitien lui apportait un étrange réconfort. La nuit serait son refuge ; les ténèbres la guériraient.

On était jeudi. Une fois de plus, Willow se sentait si mal qu'elle avait dû louper les cours. Mardi et mercredi ne s'étaient pas trop mal passés, même si elle avait dormi d'un sommeil de plomb, et s'était réveillée le lendemain plus fatiguée encore.

Et si elle était en train de devenir folle ? Cette voix qui lui parlait... Elle lui ordonnait de faire du mal aux gens !

— Ma chérie ? insista Mme Rosenberg.

Arrête de me prendre la tête ! faillit crier Willow.

Elle serra les poings plus fort et se força à compter lentement jusqu'à dix en prenant de longues inspirations. Au prix d'un effort considérable, elle parvint à se maîtriser suffisamment pour dire :

— Je vais bien, maman. Je suis juste fatiguée. Laisse-moi dormir, veux-tu ?

Dieu que cette femme était stupide !

— D'accord. Appelle-moi si tu as besoin de quelque chose.

— Maman ? gémit Willow d'une toute petite voix.

Quelque chose était en train de se produire en elle, quelque chose d'étrange et d'effrayant.

— Oui, ma chérie ?

Fiche le camp !

Willow déglutit.

— Tu pourras fermer la porte, s'il te plaît ?

— Bien sûr.

Et tourne la clé dans la serrure. Sinon, je pourrais sauter hors de mon lit et... et...

Willow sentit une vague de fureur monter en elle. Elle pleura... Puis éclata de rire.

Il allait mourir. Ce n'était pas une crainte, mais une certitude.

Parfois, songea Alex, *l'assouvissement des bas instincts prend le pas sur les impératifs de survie.* Il suffisait de voir les mâles des veuves noires... et ceux de la race humaine tout entière.

— Cordélia ? Tu viens juste de griller un stop, dit-il en s'accrochant d'une main à la poignée de sa portière et de l'autre au levier de vitesse.

— Ne commence pas à jouer les rabat-joie, cria sa compagne.

Ils se dirigeaient vers le sommet de la falaise que les étudiants avaient surnommé le Rendez-vous des Amoureux.

Les voitures de ceux qui étaient venus… admirer la vue… étaient toutes alignées.

— Cordy, supplia Alex. Je suis encore trop jeune pour mourir.

— As-tu la moindre idée du nombre de fois où je suis venue… ?

Réalisant l'énormité de ce qu'elle était sur le point de dire, la jeune fille ravala la fin de sa phrase et passa une vitesse.

— Je sais ce que je fais, déclara-t-elle, péremptoire.

Alex se demanda combien d'années de sa vie il aurait le temps de voir défiler avant de passer à travers le pare-brise.

— Je sais bien que tu es impatiente d'arriver, plaisanta-t-il faiblement, mais tout de même…

Le jeune homme faillit s'étrangler lorsqu'elle commença à examiner son maquillage dans le rétroviseur au lieu de se concentrer sur la route qui défilait à une allure effrayante.

— À l'aide ! hurla-t-il en martelant le tableau de bord de ses poings.

— Alex, tu débloques ! le réprimanda Cordélia, exaspérée.

Elle enfonça la pédale de frein et les pneus gémirent, laissant une longue trace de caoutchouc brûlé à quelques centimètres du bord de la falaise.

Alex ferma les yeux et se frotta la nuque.

— Certains appellent ça le coup du lapin, marmonna-t-il.

— Ça suffit ! s'exclama Cordélia en serrant le frein à main avant d'éteindre le moteur.

Pendant qu'Alex tentait de reprendre son souffle, elle vérifia sa coiffure et ouvrit son sac pour y chercher son bâton de rouge à lèvres.

— Qu'est-ce que tu fais ? lui demanda-t-il, perplexe.

La jeune fille lui jeta un regard plein de mépris.

— Je m'arrange pour que tu ne puisses pas rater ta cible, lâcha-t-elle, vu que tu es presque aussi aveugle que timide.

Alex cligna des yeux.

— Timide, moi ?

Cordélia leva le menton.

— Prouve-moi le contraire, dit-elle en désignant sa bouche.

Alex sourit.

— Geronimo, dit-il doucement.

Le crépuscule lui faisait du bien, mais il se sentirait encore mieux quand les ténèbres tomberaient.

Tandis que le corps fragile s'agitait dans son lit, l'esprit sentit croître sa force et commença à l'envahir. Ondulant comme un serpent, il se glissa dans ses poumons, son cœur, ses yeux, son cerveau. Il se fondit dans les muscles et les veines de ses jambes. Il remonta jusqu'à son visage et sourit, puis se redressa.

La lune éclaira enfin les traits du sorcier vampire chinois, connu sous le nom de Chirayoju.

Un instant, son menton s'allongea et se couvrit de moisissure verte comme le jade. Ses yeux se bridèrent, ses crocs meurtriers vinrent buter contre sa lèvre inférieure, et son estomac en proie à une faim dévorante se contracta. Puis de nouveau il redevint la jeune fille qui sanglotait de douleur et de frayeur.

Chirayoju lui parla. *Pourquoi me combattre? Tu désires le pouvoir et la force; je possède les deux. Je ne suis pas égoïste: je partagerai avec toi.*

— Maman, appela Willow d'une voix tremblante.

Si elle entre ici, je la tuerai, menaça l'esprit du vampire.

Willow porta une main à son front. Il était brûlant. La fièvre la faisait délirer...

Désorientée, elle balaya du regard sa chambre. C'était comme si elle la découvrait pour la première fois. Poussant un grognement, la jeune fille tendit la main vers le téléphone. Elle allait appeler Buffy ou Alex.

Au fond de son esprit, Chirayoju enregistra ces deux noms. Il fouilla dans sa mémoire pour en tirer tous les secrets qui y étaient attachés.

Terrorisée, Willow ramena une main contre sa poitrine. Son index blessé lui faisait affreusement mal, comme si des flammes le dévoraient de l'intérieur.

Peu à peu, le crépuscule céda la place aux ténèbres. Cela acheva de terroriser la jeune fille.

Cordélia s'écarta d'Alex pour reprendre son souffle.

— Il est temps d'y aller.

— Temps d'aller où ? balbutia-t-il.

— J'ai des choses à faire, répondit évasivement Cordélia.

Elle mit le contact. Le moteur de la voiture ronronna.

— Bien sûr. Pas de problème, grommela Alex.

Cordélia tourna la tête pour faire marche arrière.

Tandis que la lune baignait le visage de la jeune fille, Chirayoju leva les bras. Il était redevenu lui-même.

— Enfin libre !

Il fit quelques pas dans la chambre, s'entraînant à déplacer le corps de Willow.

Pauvre petit Saule Pleureur, songea-t-il, moqueur.

Il l'avait repoussée tout au fond de la chose qu'elle appelait son âme, mais il sentait encore sa terreur et son excitation à côtoyer autant de pouvoir. C'était cette soif qui avait attiré Chirayoju.

Il s'étira, puis poussa un grognement. Willow se débattait, mais elle ne pouvait rien contre lui, le plus grand sorcier de tous les temps, celui qui avait autrefois menacé l'empire du Soleil-Levant.

Une boîte étrange brillait sur la table. Chirayoju s'en approcha pour l'étudier. *Un ordinateur*, lut-il dans l'esprit de Willow. Des images affluèrent. Il n'aurait même pas besoin d'apprendre à s'en servir : il savait déjà. En prenant possession de cette fille, il était devenu une entité encore plus puissante et plus terrifiante.

On va bien s'amuser, petit Saule Pleureur.

Chirayoju baissa les yeux vers le plâtre qui maintenait son poignet, puis l'arracha. Plus de douleur, plus de blessure. Et la coupure de son index, là où la fille avait effleuré le tranchant de l'épée de Sanno ? Là où son sang avait coulé, permettant à Chirayoju de prendre un peu de ses forces vitales pour se libérer ? Elle guérirait aussi.

Chirayoju s'approcha de la fenêtre et l'ouvrit. La brise lui caressa le visage. Quelle joie d'éprouver à nouveau des sensations ! De sentir le parfum des roses...

Un instant, le vampire pensa avec regret au jasmin qui embaumait les jardins de l'impératrice Wu, aux jeunes Chinoises et aux guerriers qui étaient morts pour lui permettre de continuer à vivre. Il avait renoncé à tout ça pour traverser l'océan jusqu'au Japon, afin de régner sur ses habitants.

Puis Sanno était apparu. Roi de la Montagne, dieu guerrier. Sanno l'avait vaincu.

Chirayoju éclata de rire. Sanno n'était pas là. Cet endroit, quel qu'il soit, serait à sa merci.

Buffy, protesta l'esprit de Willow. Chirayoju tendit l'oreille, écouta ce qu'elle avait à dire et, satisfait, hocha la tête.

Si cette gamine, la Tueuse, était le seul défenseur du royaume de Sunnydale, Chirayoju ne tarderait pas à se faire couronner empereur. Il réduirait la nommée Buffy en esclavage. À moins qu'il ne la jette dans une fosse...

Chirayoju se dirigea vers la porte de la chambre. Il venait de franchir le seuil et allait refermer derrière lui quand la voix anxieuse de Mme Rosenberg résonna dans le couloir.

— Ma chérie ?

— Tout va bien, maman, répondit Chirayoju. Je vais juste prendre un peu l'air. J'étouffe là-dedans.

— Tu devrais rester au chaud. Tu as encore de la fièvre, protesta Mme Rosenberg.

— Je sais.

Mais la température de Willow tombait déjà. La possession, qui avait d'abord affaibli son corps, lui donnait à présent des forces nouvelles.

Chirayoju sentait son pouvoir croître en même temps que sa faim. Pour le moment, une seule chose importait : il devait se nourrir. D'un pas plus assuré, il gagna l'entrée de la maison et ouvrit la porte d'entrée. Une voiture passa devant lui. Remarquable invention : il lui en faudrait une dans les plus brefs délais.

Chirayoju leva son visage vers les étoiles. Un poème lui revint en mémoire :

Nuit, absence d'âme.
Tremble la terre, se fanent les jardins.
Que s'ouvrent les portes de la mort !

Il commença à descendre la rue, goûtant sa liberté retrouvée.

Alex jeta à Cordélia un regard éberlué et se gratta la tête.

— Résumons la situation... Tu as roulé sur une pierre.

— Ou autre chose, fit la jeune fille.

— Ou autre chose, et un de tes pneus est crevé. Maintenant, tu veux que je descende de voiture et que je le change, pour que tu puisses aller voir un type qui n'est pas moi.

Cordélia le fixa sans répondre. Alex soutint son regard.

— Où veux-tu en venir ? lâcha enfin la jeune fille.

— Le mot « abuser » fait-il partie de ton vocabulaire ? soupira Alex, exaspéré. Laisse-moi te répondre : P-A-S Q-U-E-S-T-I-O-N.

— Très bien, répliqua Cordélia d'un ton hautain. Je le ferai moi-même. Le cric est dans le coffre. Tout ce que j'ai à faire, c'est...

Son visage s'éclaira. Elle appuya sur un bouton, et ses feux de détresse clignotèrent.

Poussant un soupir, Alex ouvrit sa portière.

— Merci, pépia Cordélia dans son dos.

Il se pencha vers elle et plissa les yeux.

— En général, c'est par une nuit comme celle-ci qu'un fou dangereux s'échappe de l'asile, dit-il. Si je ne reviens pas, barricade-toi et ferme les yeux, parce que le goutte-à-goutte que tu entendras sera celui de mon sang dégoulinant sur le sol, et le choc contre ton pare-brise, le bruit de ma tête décapitée atterrissant sur ton capot.

Cordélia leva les yeux au ciel et lui jeta un regard plein de reproches.

— Oh, Alex ! Comment peux-tu me dire des choses pareilles, après toutes les horreurs que toi et tes dingo d'amis m'avez fait subir ?

— Je te signale, ma petite, que tu fais désormais partie de mes « dingo d'amis ».

— Tu peux toujours rêver.

Cordélia se pencha pour refermer la portière derrière Alex.

— Écoute, fais-le et ne discute pas. Je te promets d'être gentille avec toi…

Elle cala sa tête contre le dossier de son siège et ferma les yeux en marmonnant quelque chose d'inaudible pendant qu'Alex contournait la voiture pour aller chercher le cric.

T'es vraiment un abruti, se dit-il.

Les chiens aboyèrent les uns après les autres tandis que Chirayoju passait devant les maisons de Sunnydale. Les chats firent le gros dos. La lune elle-même se dissimula derrière un banc de nuages.

Chirayoju marchait vite. Après des siècles d'emprisonnement, il mourait de faim. Il ne voulait pas se repaître seulement de sang, mais de ce qui l'animait : la vie. L'essence des mortels.

Il aurait besoin d'acolytes pour imposer son règne de terreur. Soudain, il sut où les trouver. Il sentait dans l'air la présence d'autres vampires et il en conçut une telle joie que ses yeux s'emplirent de larmes écarlates.

Chirayoju leva la tête vers une colline qui surplombait la ville. À son sommet, des formes immobiles se découpaient contre le ciel nocturne : des voitures. Et des silhouettes furtives se dirigeaient vers elles : des vampires.

Chirayoju se mit à courir vers la colline. La fille était épuisée ; il lui insuffla un peu de sa force pour faire bouger ses jambes et battre son cœur plus vite. À ce rythme-là, son nouveau corps ne tiendrait pas longtemps. Bientôt, il devrait l'abandonner et en trouver un autre.

Lorsqu'il eut changé la roue de Cordélia, Alex remonta en voiture et ne pipa mot tandis qu'ils redescendaient la colline.

Croisant une silhouette qui courait en sens inverse, la jeune fille secoua la tête.

— Comment peut-on monter à pied au Rendez-Vous des Amoureux ? Il faut être inconscient ! C'est terriblement dangereux !

Alex était occupé à fouiller dans la boîte à gants à la recherche des CD de Cordélia.

— De qui parles-tu ? s'enquit-il en se redressant.

Il eut beau tourner la tête en tous sens, il ne vit personne. Sa compagne leva le nez vers le rétroviseur.

— Mon rimmel a coulé ?

— Cordélia, regarde la route, la supplia Alex.

— Dis-moi si mon rimmel a coulé, insista la jeune fille en tournant la tête vers lui.

— Non, non, tu es magnifique. Une vraie déesse. Ne me tue pas, je t'en prie.

Cordélia leva les yeux au ciel.

— Alex, tu es si superficiel !

Elle appuya sur l'accélérateur.

Le vent sifflait aux oreilles de Chirayoju tandis qu'il se rapprochait des vampires. Les créatures n'étaient que trois. Il serait facile pour lui de les contrôler et les dominer.

Plutôt que d'agir de concert, selon un plan établi, les vampires se contentaient d'attaquer en masse. Ils se précipitèrent sur les voitures, ouvrant les portières et saisissant leurs occupants pour les tirer dehors.

Une jeune fille aux longs cheveux blonds poussa un cri terrifié tandis qu'une femelle vampire la plaquait au sol, et qu'un mâle noir aux larges épaules fondait sur son compagnon pour lui déchirer la gorge.

Le troisième vampire, un grand chauve, attaqua un véhicule situé un peu plus bas sur la pente. Les étudiants en profitèrent pour tenter de s'échapper, mais les créatures étaient trop rapides.

Chirayoju s'avança et écarta les bras. Un éclair zébra le ciel et le vent gémit.

— Prosternez-vous devant votre maître ! cria le démon.

Les vampires se figèrent. La femelle fut la première à réagir.

— Tu peux toujours courir, répliqua-t-elle en se jetant sur lui.

— Arrête ! ordonna Chirayoju.

La vampire s'immobilisa. Chirayoju avait pris le contrôle du démon qui était en elle ; il le saisit à la gorge et le força à se mettre à genoux.

— Maître, chuchota la femelle.

— Hé, petite, qu'est-ce qui te prend ? demanda son compagnon.

Chirayoju tourna son regard vers lui. Il savait que la créature ne voyait devant elle qu'une gamine ; pour l'effrayer, il lui donna un bref aperçu de ce qui se cachait derrière le masque du petit Saule Pleureur.

Le vampire ouvrit la bouche comme pour pousser un cri de stupéfaction. Il se souvenait de la mort, ce bref instant séparant la perte de son âme humaine de sa résurrection sous la forme d'une créature des ténèbres. Il ne voulait pas faire une seconde fois l'expérience de ce vide atroce, ni contempler les horreurs que lui promettait le regard de Chirayoju.

Le démon dévisagea tour à tour chacun des vampires, opposant sa volonté à la leur. Il les sentit se débattre, mais leurs efforts étaient vains.

Le ciel s'ouvrit, déversant sur la colline une pluie torrentielle. Sur le sol, le sang des victimes se mêla à la terre.

Chirayoju donna au vampire chauve l'ordre silencieux de s'agenouiller.

— Dis mon nom.

D'une voix qui ne tremblait pas, la créature répondit :

— Seigneur Chirayoju.

Suspendue entre les arbres, au-dessus du cimetière, la lune baignait Angel d'une aura blanche qui accentuait la pâleur de sa peau. Il se pencha vers Buffy pour lui caresser la joue d'un geste hésitant. Ses doigts étaient froids, mais leur contact réchauffa la jeune fille.

— Sous cette lumière, tu me ressembles, murmura Angel.

— Je ressemble à un vampire, corrigea la jeune fille. Pourquoi évites-tu de le dire, comme si c'était un gros mot ?

Son compagnon éclata d'un rire amer.

— Tu es la Tueuse. C'en est un pour toi.

Buffy étreignit les mains d'Angel.

— Si nous voulons avancer, il faut dépasser ça, déclara-t-elle en se dressant sur la pointe des pieds pour l'embrasser.

Angel la dévisagea. La jeune fille vit qu'il se retenait de la serrer contre lui. Son cœur battit plus fort.

— Tu sais que mon histoire est bien plus compliquée que nous ne le pensions au début.

— Je sais. (Elle lui passa les bras autour du cou pour le forcer à se baisser.) Pourquoi devrais-tu avoir peur ?

— Peut-être parce que je t'...

Angel détourna la tête. Buffy l'imita. Quelque chose flottait dans l'air. Quelque chose qui menaçait de la submerger. Quelque chose qui marchait main dans la main avec la mort.

— Tu as senti ? demanda-t-elle. On aurait dit... que quelqu'un criait dans ma tête. Quelque chose de louche se prépare.

Angel acquiesça.

— Quelque chose de très louche.

D'un même mouvement, ils levèrent la tête vers le ciel, puis balayèrent du regard les environs. Mais sous les pierres tombales et dans les mausolées, les morts reposaient paisiblement. Au-dessus de leurs têtes, un hibou ulula. Tout était calme ; pourtant, la jeune fille sentait une présence maléfique qui planait au-dessus d'eux.

— Je dois commencer à faire des progrès, murmura Buffy, puisque j'arrive à sentir les choses avant qu'elles ne tournent vraiment mal. Il faut que j'aille voir Giles.

Angel passa un bras protecteur autour de ses épaules.

— Je t'accompagne.

Ensemble, ils se dirigèrent vers le portail du cimetière.

6

Le vendredi matin, Willow était *ailleurs*. Incapable de se concentrer. Venant de très loin, une musique étouffée lui parvenait. De la musique country.

Willow Rosenberg n'était peut-être pas une fille branchée, mais elle n'écoutait pas de musique country. Un radioréveil, peut-être…

La tiédeur du soleil entrant par les stores vénitiens fit prendre conscience à Willow du froid qui l'enveloppait. Elle se sentait glacée et pleine de courbatures, comme si elle avait passé la nuit à faire de l'escalade.

Elle se sentait épuisée, et ses yeux la brûlaient. Elle ne se souvenait de rien depuis qu'elle était rentrée chez elle la veille. Apparemment, elle avait juste eu le temps de régler son radioréveil sur une station country avant de s'endormir.

La jeune fille ouvrit ses yeux desséchés, et les referma aussitôt au moment où le soleil frappa ses rétines. Un éclair de douleur déchira son crâne. Elle resta immobile quelques instants en attendant que ça passe. Cette technique marchait avec les migraines qu'elle subissait quand elle mangeait trop de crème glacée. Mais cette fois, la douleur ne se dissipait pas.

Lorsqu'elle réussit à sortir de son lit et à se traîner jusqu'à la douche, la migraine avait empiré. On aurait dit que quelqu'un lui avait planté un clou dans le cerveau.

Après sa toilette, elle ne se sentit toujours pas mieux. Sa mère l'appela du rez-de-chaussée, mais Willow n'y prêta pas attention, pas plus qu'elle ne s'attarda à choisir ses vêtements : elle se contenta de prendre des affaires propres dans sa commode.

Assise au bord de son lit, Willow était en train d'enfiler ses chaussures quand elle remarqua une tache verte à côté de son ordinateur. La jeune fille se leva et se dirigea vers son bureau. Près de sa souris se dressait un bonsaï tordu. Mais celui-ci n'était pas en pot ; de la terre couvrait encore ses racines.

— Merci beaucoup, mais ce n'est pas encore mon anniversaire, marmonna Willow.

Comment l'arbre miniature était-il arrivé jusque-là ? Elle avait trop mal à la tête pour s'attarder sur la question…

Peut-être est-ce un cadeau d'Angel ?

Se balader la nuit, pénétrer dans la chambre des gens sans s'être annoncé… C'était le comportement typique d'un vampire normal, mais pas d'Angel. En outre, Willow se souvenait que pendant l'affaire

Angélus, Buffy et elle avaient placé une sorte de protection magique sur sa chambre pour tenir le vampire à distance.

Donc, il ne s'agissait pas d'Angel. Mais Willow ne put mener plus loin sa réflexion, car elle eut l'impression que le clou se changeait en aiguille chauffée à blanc. Elle se massa le front, réalisant qu'elle allait être en retard à ses cours...

Il valait mieux qu'elle fasse acte de présence, aujourd'hui. Curieusement, les cours auxquels elle avait assisté ne lui avaient laissé qu'un très vague souvenir. Pourtant, elle avait obtenu la note maximale au questionnaire de M. Morse sur l'exposition d'art japonais. Malgré son état pitoyable, son cerveau continuait donc à emmagasiner et à recracher les informations. Si elle ne voulait pas qu'il tombe en panne faute de carburant, mieux valait qu'elle se présente au lycée.

Avant de sortir, Willow remarqua un objet à côté du bonsaï. C'était le disque métallique qu'elle avait fait tomber de l'épée durant sa visite au musée. Willow sentit une vague culpabilité l'envahir. Peut-être devrait-elle le ramener ? Mais dès qu'elle le saisit pour l'observer, une douleur fulgurante lui vrilla la tête. La jeune fille tituba dans le couloir, en proie à une forte envie de vomir. Mais celle-ci ne tarda pas à s'estomper en même temps que sa migraine.

Au moment où elle ouvrit la porte d'entrée, le soleil la frappa de plein fouet. Elle s'empara de ses lunettes noires qu'elle n'avait pas portées depuis des mois.

Buffy était assise seule à une des tables rondes de la cantine, son livre de maths ouvert devant elle. Apercevant Oz, elle lui fit un signe de la main. Le jeune homme lui sourit, mais passa son chemin comme s'il cherchait quelqu'un. Elle espéra que le quelqu'un en question était Willow.

— Deux et deux égalent... ? demanda une voix derrière elle.

Buffy y fit à peine attention. Alex se glissa sur une chaise en face d'elle.

— Bonjour, Alex, dit le jeune homme d'une voix aiguë. Navrée de me montrer aussi asociale, mais j'ai recommencé. Vilaine ! J'ai encore négligé mes études au profit d'activités nocturnes plus athlétiques, et ça ne va pas tarder à se retourner contre moi. Pour couronner le tout, ma répétitrice m'a lâchement abandonnée...

Buffy ne leva pas les yeux.

— Tu veux savoir comment j'ai deviné que tu t'inquiétais pour ton interro de maths ? reprit Alex de sa voix normale. Parce que, au lieu de Folie Tropicale, ton jus de fruits préféré, tu as pris un carton de lait chocolaté d'un demi-litre, bien réconfortant.

— Fiche-moi la paix, répondit Buffy d'un ton égal, le nez toujours plongé dans son manuel.

— Autrement dit, résuma Alex, tu veux que je débarrasse le plancher le plus rapidement possible, histoire que tu puisses réviser une interro qui aura lieu dans... oh, trente-deux bonnes minutes.

— Tu as fini ?

— Ça va, ça va, j'ai compris. Je me tais. Je suis muet comme une carpe. Je détiens la médaille d'or du mutisme, babilla Alex.

— Alors, sers-t'en si tu ne veux pas que je te fasse bouffer ton costard, gronda Buffy avec la voix d'un gangster de dessin animé.

Alex eut un large sourire.

— Tu vois ? Je suis sûr que tu rêvais de placer cette réplique depuis des années.

— C'est vrai, admit la jeune fille. Merci beaucoup. Grâce à toi, je viens de réaliser un de mes désirs les plus chers. Tu es un vrai prince.

Willow posa son plateau sur la table et se laissa tomber sur une chaise.

— Un prince ? Quelqu'un a embrassé le crapaud, et on ne m'a rien dit ? Je suis toujours la dernière au courant.

Sous le regard éberlué d'Alex et de Buffy, la jeune fille commença à dévorer le plat le plus terrifiant qu'ait jamais servi la cantine du lycée, perversement nommé « pain de viande végétarien ». Mais ce n'était pas le contenu de son assiette qui les stupéfiait.

— Grands dieux, que t'est-il arrivé ? s'enquit Alex.

Buffy lui donna un coup de coude dans l'avant-bras.

— Will, tu vas bien ? insista le jeune homme.

— Après une semaine comme celle que je viens de passer, qui ne serait pas en pleine forme ? répliqua sèchement son amie.

Pour une fois, elle ne souriait pas avec l'air de s'excuser.

— Ne me dis pas que tu t'es encore fait agresser, s'inquiéta Alex, se glissant dans la peau du sauveteur de demoiselles en détresse.

Willow leva les yeux et fixa ses amis derrière ses lunettes de soleil… qu'elle avait gardées à l'intérieur de la cantine, comme si elle se prenait pour Courtney Love.

— Non, pas du tout. En fait, mon poignet est déjà guéri.

— Je ne pense pas qu'Alex s'inquiétait de ton état physique, intervint Buffy. Ce serait plutôt une question… euh… d'esthétique.

Cordélia, qui venait de rejoindre le groupe, fit claquer sa langue d'un air désapprobateur.

— Willow, fit-elle gentiment, ce que Buffy hésite à te dire, c'est que tu ressembles à une prostituée qui s'est égarée loin de son bout de trottoir.

En temps normal, Buffy aurait volé au secours de son amie. Mais, pour une fois, elle ne pouvait pas donner tort à Cordélia. Les cheveux de Willow étaient tout emmêlés et formaient une masse autour de sa tête. La jeune fille portait un bustier vert anis avec un bas de jogging violet. Et elle avait encore séché toute une matinée de cours…

— Cette remarque me touche beaucoup ! cria Willow. Surtout venant de toi.

— Pas la peine de monter sur tes grands chevaux, s'indigna Cordélia. J'essayais juste de t'épargner un embarras d'ampleur postapocalyptique, mais si tu le prends comme ça…

— Commence par te regarder dans la glace. Si tu révisais ta tenue, les gens arrêteraient peut-être de te prendre pour une poupée Barbie.

Buffy aurait éclaté de rire si elle n'avait pas surpris une expression sur le visage de son amie. La jeune fille avait l'air méprisante et hargneuse, comme si son désir était de déclencher une bagarre avec Cordélia. Au lieu de cela, elle se leva brusquement, renversa sa chaise et se rua hors de la cantine en laissant la moitié de son repas dans l'assiette.

— Ouah, souffla Cordélia. Qu'est-ce qui lui a pris ? Elle s'est aiguisé les griffes, on dirait. Si Willow se met à balancer des vannes, ça promet…

Elle tendit la main vers le plateau abandonné.

— Je suppose qu'elle ne finira pas son tofu…

Alex lui flanqua une tape.

— Laisse ça !

— C'est quoi, ton problème ? ricana Cordélia.

— Je connais Willow depuis la maternelle ; elle a toujours été ma meilleure amie. Je sais que quelque chose la tracasse. Ce comportement ne lui ressemble pas. C'est comme si tu venais à l'école deux jours de suite avec la même tenue.

Cordélia cligna des yeux.

— À ce point ? demanda-t-elle, un peu inquiète.

— À ce point, confirma Buffy en échangeant un regard avec Alex.

— Que fait-on ? s'enquit le jeune homme.

— Il ne faut surtout pas la harceler, répondit Buffy. Je suggère que nous essayions de lui parler, mais séparément. On peut aussi mettre Giles dans le coup. À mon avis, son agression l'a beaucoup plus marquée que nous ne le pensions.

— Comme si elle souffrait de stress posttraumatique ? avança Cordélia.

Buffy lui jeta un regard en coin. Parfois, la jeune fille avait des éclairs de lucidité inattendus.

— Je lui parlerai, déclara Alex.

— Moi aussi, acquiesça Buffy. Il faut qu'elle discute avec quelqu'un ; ça lui fera du bien.

Cordélia poussa un gros soupir et dit à regret :

— D'accord, d'accord. Je ferai mon possible.

— Ça, c'est ma Cordy, la félicita Alex. Toujours prête à rendre service aux autres.

Mais aucun d'eux ne revit Willow ce jour-là. Buffy fut tellement absorbée par son interro de maths qu'elle oublia son amie jusqu'à ce qu'elle ait pris le chemin de son domicile.

Ce soir-là, tout était tranquille et un vent frais soufflait dans les rues de Sunnydale. Buffy se demanda si elle n'aurait pas dû emporter ses devoirs, histoire d'étudier sous la lumière d'un lampadaire en attendant qu'une créature jaillisse de l'ombre pour s'attaquer à elle. Un peu comme elle le faisait en cours de biologie, où elle devait constamment subir les assauts de son voisin, Greg Rucka, dit « La Pieuvre ».

— J'aurais bien besoin d'une distraction, grommela Buffy.

Poussant un gros soupir, elle jeta son sac de Tueuse sur l'épaule, prête à rentrer chez elle. Inconsciemment, ses pas l'entraînèrent du côté du *Bronze* et elle s'arrêta sur le trottoir d'en face. Il était possible qu'Angel se trouve à l'intérieur de la boîte de nuit. Mais si c'était le cas, elle resterait avec lui, et jamais elle ne ferait ses devoirs. Or, elle était déjà très en retard sur ses révisions du trimestre.

Demain soir, songea-t-elle pour se consoler. *Je le verrai demain soir.*

Elle tourna les talons et se figea. Une étrange sensation, comme celle qu'elle avait éprouvée dans le cimetière la veille, venait de s'abattre sur elle.

Buffy sonda la ruelle obscure qui longeait le *Bronze*. Ils étaient trois : deux mâles et une jeune fille aux courts cheveux bruns. Malgré son air innocent, Buffy comprit tout de suite que c'était elle la plus dangereuse.

— Ce n'est pas ma faute si j'ai de mauvaises notes, marmonna-t-elle en balançant son sac de Tueuse à bout de bras. Chaque fois que je décide de me mettre à mes devoirs, il y a un contretemps.

Les visages des créatures étaient hideux. Elles sortirent de la ruelle en grognant et se déployèrent pour encercler Buffy. Celle-ci saisit un pieu, puis laissa tomber son sac sur la chaussée.

— Bonsoir, Tueuse, cracha la fille. J'espère que tu as bien profité de ce jour, parce que ce sera ton dernier.

— Merci de t'inquiéter pour moi, dit Buffy. C'est vraiment gentil.

Buffy pivota en faisant passer son arme d'une main à l'autre et en s'efforçant de garder les trois vampires dans son champ de vision. Les créatures bougeaient de concert, comme si elles étaient télécommandées. Bizarre…

— Ça fait des heures que nous t'attendons, dit un costaud à la peau noire. Nous avions presque abandonné l'espoir de te tuer ce soir.

Buffy frissonna. En général, les vampires n'étaient pas réputés pour leur patience. Ils sortaient de leur tanière et fondaient sur la première proie venue. Mais ceux-ci avaient un objectif : traquer et éliminer la Tueuse.

La jeune fille se força à sourire.

— Vous aviez presque abandonné, répéta-t-elle avec une sympathie feinte. Vous avez bien fait d'insister, puisque me voilà… Malheureusement, vous allez être déçus : je suis venue pour vous briser le cœur…

Une grimace presque cruelle tordit sa bouche.

— Je voulais dire : pour vous embrocher, bien sûr, corrigea-t-elle.

Un grand chauve lui sauta dessus. Buffy voulut parer le coup en le saisissant par le devant de sa chemise et en le projetant sur son copain. Telle était du moins son intention, mais Boule-de-Billard s'arrêta net et Buffy comprit qu'il lui avait tendu un piège.

Pendant qu'elle se focalisait sur lui, les deux autres l'avaient prise à revers. Déjà, la fille tendait une main pour l'empoigner par les cheveux.

Buffy fit un pas en arrière afin d'éviter le Black qui arrivait sur sa droite. Emporté par son élan, le vampire heurta Boule-de-Billard de plein fouet, et tous deux s'écroulèrent sur le sol. Quant à la vampire, qui déjà découvrait ses crocs, Buffy la déséquilibra d'un coup de coude bien ajusté et l'envoya dans les airs. La fille était rapide. D'un bond, elle se redressa et se rua à nouveau sur Buffy.

— Puisque tu insistes, soupira la Tueuse.

Elle lui flanqua un coup de genou dans l'estomac, la saisit par les cheveux et lui planta son pieu dans le cœur. Mais Buffy n'eut pas le temps de savourer son triomphe. Sentant Boule-de-Billard et son copain Black prêts à lui sauter dessus, elle préféra battre en retraite et disparaître dans la ruelle.

Les vampires se lancèrent à sa poursuite.

Les imbéciles…

Buffy arriva au niveau d'une vieille Chevrolet garée le long d'un trottoir. Elle sauta sur le capot, et de là sur le toit. Les deux créatures longèrent chacun un côté du véhicule.

— On te tient, grogna le Black en essayant de lui saisir les jambes.

Buffy effectua un saut périlleux arrière et atterrit derrière lui.

— Je suis très touchée par l'intérêt que tu me portes, mentit-elle en lui plantant son pieu dans le dos.

Lui faisant face, Boule-de-Billard dévisageait Buffy.

— Tu pourrais t'enfuir, suggéra la jeune fille.

— Et me faire tuer pour ma lâcheté ? répliqua-t-il. Tu n'es qu'une gamine. Je n'ai pas peur de toi.

D'un bond, il fut sur le toit de la voiture.

Buffy ouvrit la portière de la Chevrolet qui n'était pas fermée à clé et s'enferma dans le véhicule en écrasant au passage la main de son adversaire qui tentait de l'attraper. Elle entendit le craquement de ses os.

Elle resta assise derrière le volant tandis que Boule-de-Billard faisait éclater d'un coup de pied la vitre, puis se penchait pour passer sa tête dans le trou.

— Bouh ! dit Buffy en lui expédiant son poing en pleine figure. Toujours pas peur de moi ?

— Sors de cette voiture ! rugit-il en se relevant.

Buffy eut un sourire timide.

— Ma mère m'a dit de ne jamais suivre un étranger.

D'un geste vif, elle lui enfonça son pieu dans le cœur à travers la vitre brisée.

— Ça t'apprendra à dire « s'il te plaît », lâcha-t-elle tandis qu'il explosait.

Ces vampires ne lui avaient pas donné plus de fil à retordre que la moyenne. Mais ils avaient été étonnamment déterminés. Et qu'avait donc dit Boule-de-Billard quand elle lui avait suggéré de fuir ? Qu'il se ferait tuer pour sa lâcheté… Mais par qui ? Sans doute la personne qui l'avait envoyé aux trousses de Buffy. Une personne organisée, qui connaissait la jeune fille…

Ça ne s'annonçait pas bien du tout.

7

Le lundi matin, après un week-end plutôt calme, Buffy laissa échapper un énorme bâillement en pénétrant dans la bibliothèque.

— Beaucoup de vampires, beaucoup de devoirs, déclara-t-elle succinctement. Vampires tous tués, devoirs à peine attaqués.

Elle poussa un gros soupir.

— Hum ? dit Giles en levant le nez d'un de ses bouquins poussiéreux.

— Alors, vous pouvez m'inscrire aux cours de rattrapage, appeler ma mère et lui expliquer pourquoi j'ai de mauvaises notes, même dans les matières où il n'y a rien à étudier, comme l'éducation physique.

Giles sourit, remonta ses lunettes du bout de l'index et ferma son livre.

— Bonjour, Buffy. Tu disais que tu as été très occupée ce week-end ?

— Seulement à exterminer des monstres, répondit la jeune fille en songeant à tout ce qu'elle n'avait pas eu le temps de faire : des câlins avec Angel, un tour au *Bronze*...

— C'est bien ce que je voulais dire, acquiesça Giles.

Facile pour lui : il ne risquait plus de rater son diplôme de bibliothécaire ! Un inspecteur passait-il pour contrôler si les livres étaient rangés par ordre alphabétique sur les étagères ?

— Mais ces vampires-là étaient différents de ceux que je combats d'habitude, expliqua Buffy.

Elle s'assit sur la grande table et balança ses jambes dans le vide en admirant les nouvelles bottes que sa mère lui avait achetées.

— Ils avaient l'air organisés, comme si un nouveau Maître venait de s'installer en ville, reprit la jeune fille. J'en ai rencontré trois vendredi et deux autres hier soir. Rien de bien méchant, mais ça m'a inquiétée.

— Vraiment ?

Giles fronça les sourcils en repoussant son ouvrage.

— Vraiment. En parlant de démons, je me fais du souci pour Willow. Je ne l'ai pas vue de tout le week-end. Alex m'a dit qu'elle n'était pas allée au *Bronze* ; nous lui avons laissé des tas de messages chez sa mère et elle n'a jamais rappelé. Elle a encore manqué les cours aujourd'hui. Je commence à trouver ça inquiétant.

Giles haussa un sourcil.

— Inquiétant ?

— Inquiétant, confirma Buffy. Moins que Poltergeist mais plus que Casper.

— Ah. Quel rapport entre l'absence de Willow et les démons ? Vous vous êtes disputées ?

— Pas à ma connaissance. Mais depuis qu'elle s'est fait attaquer, Willow réagit de façon bizarre. Elle s'est changée en véritable sorcière, pire que Cordélia.

Buffy croisa les bras sur sa poitrine comme pour donner plus de poids à son affirmation.

— Nous avons tous nos mauvais jours, dit Giles en la dévisageant. Raconte-moi plutôt ton combat contre ces…

— Elle portait des lunettes de soleil Gargoyles ! coupa Buffy, agacée.

Giles cligna des yeux sans comprendre.

— Sachez que même les ringards ne portent plus de Gargoyles depuis deux ans… C'est encore plus dépassé que le gant en strass de Michael Jackson !

Buffy s'empourpra.

— Je ne voudrais pas traiter Willow de ringarde, bien sûr… c'est mon amie. Mais elle n'est plus la même depuis son agression.

Giles poussa un soupir.

— Doucement, veux-tu ? Pour quelqu'un qui n'est pas du matin, je te trouve bien surexcitée. Franchement, tu m'épuises.

— C'est parce que vous êtes vieux, le taquina Buffy. Enfin : plus vieux que moi, corrigea-t-elle.

Sur ces paroles, Alex entra dans la bibliothèque. Le jeune homme semblait très agité.

— Sujet : Willow. Même Oz, son nouveau petit ami loup-garou, ne l'a pas vue de tout le week-end.

— Sujet : Willow, acquiesça Buffy.

— Je crois vraiment que nous devrions nous concentrer sur les vampires qui t'ont attaquée, protesta Giles. (Avant que Buffy puisse riposter, il leva un doigt pour la faire taire.) D'abord ! Ensuite, nous pourrons discuter à loisir de l'attitude bizarre de Willow et de son mauvais goût en matière de lunettes qui semble tellement te tracasser.

La jeune fille fit la moue.

— Comme vous voudrez. (Elle tapota la table à côté d'elle.) Viens t'asseoir, Alex.

— Je halète comme un chiot et j'obéis comme un paillasson, dit le jeune homme en s'installant près d'elle et en lui donnant un coup de coude amical.

— Nous étions en train de parler des vampires que Buffy a rencontrés ce week-end, l'informa Giles. Ils semblaient mieux organisés que les autres.

Alex hocha la tête.

— Des vampires qui bossent en équipe. C'est noté. Quoi d'autre ?

— La nuit précédente, Buffy se trouvait dans le cimetière avec Angel quand elle a senti quelque chose de bizarre, expliqua Giles.

— Buffy ! Tu sais à quel point il est dangereux de flirter avec Angel pendant tes rondes nocturnes ?

— On ne flirtait pas, on cherchait des vampires, marmonna-t-elle.

— Tu cherchais surtout à attraper la rage, lâcha Alex, méprisant. C'est ce qui finira par t'arriver si tu continues à embrasser le Mort Vivant. J'ai également mis Willow en garde en ce qui concerne Oz.

— Et je suis sûre qu'elle a apprécié tes conseils autant que moi, dit Buffy.

La jeune fille se laissa glisser de la table et se mit à faire les cent pas.

— J'ai bien cru que son traumatisme finirait par lui passer, continua-t-elle, mais ça fait plus d'une semaine et son attitude ne fait qu'empirer. Comme si elle avait rompu les amarres avec la réalité. Nous devons l'aider.

Elle regarda Alex, se souvenant de toutes les fois où le jeune homme avait été là pour Willow et pour elle.

— Évidemment, répondit-il avec un sourire.

Cordélia avait accepté de conduire Alex chez Willow.

— Je ne suis pas certaine de comprendre, dit-elle. Quand je t'informe que nous devons mettre un terme momentané à l'expression de notre passion, c'est parce que j'ai rendez-vous avec un autre garçon. Mais quand c'est toi qui prétends avoir quelque chose à faire, et que tu me demandes de t'emmener chez Willow, tu rends juste visite à une amie ?

Alex acquiesça.

— Ma parole, à mon contact tu as fini par développer un semblant d'intelligence.

— Sans doute pour compenser, ricana Cordélia.

Elle s'arrêta devant chez les Rosenberg. Aussitôt, Alex bondit hors de la voiture. Le porche était éclairé, mais la maison semblait vide. Alex appuya sur la sonnette et attendit pendant que Cordélia le rejoignait d'un pas mesuré.

— J'ai faim, geignit-elle.

— Il doit rester un demi-Twix sur le tapis de ta voiture. Il doit être couvert de poils, mais les fibres, ça fait du bien.

— Tu es dégoûtant ! se récria Cordélia.

Elle toqua à la porte et attendit deux bonnes secondes avant de déclarer :

— Tu vois bien qu'il n'y a personne. Viens. J'ai encore deux heures avant le début de l'entraînement.

Alex fut tenté. Deux heures en compagnie de Cordélia n'étaient jamais deux heures perdues.

— Quel est le problème ? insista Cordélia en voyant qu'il refusait de bouger. Willow est sortie, c'est tout.

— Tu ne comprends donc rien à rien ! s'écria Alex. Il y a école demain !

Cordélia haussa les épaules.

— Elle doit être au *Bronze* avec Oz ou en train de faire les magasins avec Buffy.

Alex demeura inflexible.

— Je vais attendre encore un peu.

Il passa un bras autour des épaules de la jeune fille et l'attira contre lui.

— Allons, Cordy, dit-il. On peut s'embrasser dans ta voiture devant chez Willow aussi bien qu'au Rendez-Vous des Amoureux. La lune, les étoiles, nous deux... Qu'en penses-tu ?

La jeune fille poussa un soupir de désespoir.

— Je suis trop bonne, marmonna-t-elle en rebroussant chemin.

Dehors Buffy se figea brusquement.

— Qu'y a-t-il ? demanda Giles. As-tu encore senti quelque chose de bizarre ?

— Non... je viens juste de me souvenir que j'ai oublié de régler la machine à laver sur le programme « délicat » avant de la mettre en marche, expliqua la jeune fille. Mon nouveau chemisier va sûrement déteindre.

— Je vois. Un drame d'ampleur planétaire, marmonna Giles.

— Hé ! protesta Buffy, à votre âge, on peut se moquer de son apparence !

— C'est vrai, reconnut Giles. (Tout bas, il ajouta :) Dieu merci.

Buffy entendit cette dernière remarque, mais choisit de l'ignorer.

— Vous vouliez me parler de vos recherches ?

— Ah, oui, acquiesça Giles, heureux de revenir sur un terrain familier : le nombre des disparitions a beaucoup augmenté depuis une dizaine de jours.

Redevenue sérieuse, Buffy hocha la tête.

— La plupart des victimes sont des lycéens qui fréquentaient un endroit pour… euh… bafouilla Giles.

— Le Rendez-Vous des Amoureux, coupa Buffy. (Puis, devant l'air surpris de son Gardien :) Je n'ai peut-être pas de vie sociale, mais j'entends parler de celle des autres ! Alors, que s'est-il passé : quelqu'un est monté là-haut pour vampiriser des gamins occupés à faire connaissance ?

Giles se racla la gorge.

— On dirait, oui. Si nouveau Maître il y a, il est sans doute en train de se constituer un groupe de fidèles.

— Génial, soupira Buffy. Si j'arrive à m'en faire un copain, il pourra les forcer à faire mes devoirs…

Giles ouvrit la bouche pour lui reprocher son manque de sérieux, mais soudain, la jeune fille lui fit signe de se taire.

Un vampire les épiait. Giles leva son pieu.

— Pas de précipitation, dit Buffy en souriant.

Un vampire, oui. Grand, ténébreux, dépourvu de crocs pour le moment… et surtout, terriblement séduisant.

— Bonsoir, Buffy, la salua Angel. (Il fit un signe de tête au bibliothécaire.) Bonsoir, Giles.

— Qu'est-ce qui t'arrive ? demanda la jeune fille en s'efforçant de prendre un air dégagé.

Angel haussa les épaules.

— J'étais dans les parages…

Ce fut alors qu'une douzaine de vampires encercla les trois compagnons. Crocs sortis, accroupis autour de leurs proies, ils les observèrent avec une parfaite immobilité.

C'était un groupe étrange, composé d'individus des deux sexes, de races et d'âges différents. Certains portaient des vêtements funéraires, indiquant qu'ils sortaient de terre. D'autres étaient vêtus comme on peut l'être pour se rendre au travail ou au lycée.

— Ça ne me dit rien qui vaille, murmura Buffy en détaillant un homme en robe noire ornée d'un col blanc.

— Un prêtre a disparu ce matin, confirma Giles à voix basse. Et aussi une vieille dame en survêtement, ajouta-t-il en désignant la créature qui s'avançait vers lui.

Le prêtre marcha sur Angel, tandis qu'un type en peignoir s'adressait à Buffy en découvrant les crocs.

— Prépare-toi à mourir, Tueuse, grogna-t-il. Notre Maître a des plans te concernant. Tu feras une excellente esclave.

Buffy pivota sur elle-même et lui flanqua un coup de pied dans le menton. La tête du vampire bascula en arrière.

— D'accord, braves gens… ex-braves gens, se reprit-elle. Si vous me racontez ce qui se passe, je vous laisserai peut-être partir. Qui est le Maître dont vous parlez? Je connaissais un type qui se faisait appeler comme ça, mais il reste peu de chose de lui.

Le prêtre éclata d'un rire caverneux.

— Tu le sauras bientôt, quand tu te prosterneras à ses pieds pour le supplier de t'épargner !

Les vampires attaquèrent avec une parfaite synchronisation. Le prêtre, le type en peignoir et une jeune fille qui portait deux anneaux dans le nez et un piercing à la lèvre se jetèrent sur Angel. Buffy, quant à elle, eut affaire à trois jeunes gens costauds qui lui semblaient vaguement familiers. Peut-être faisaient-ils autrefois partie de l'équipe de foot de Sunnydale…

Giles fut attaqué par la vieille dame en survêtement, à qui il régla instantanément son compte, et par un jeune garçon qui ne devait pas avoir plus de quatorze ans au moment de sa mort. Il se battait beaucoup mieux qu'on n'aurait pu le croire : il décrivait des cercles autour de lui tout en distribuant des coups de pied et en dessinant des symboles dans l'air avec ses mains.

Jamais vu ce genre d'art martial, songea Buffy en lui jetant un regard.

La fille au piercing frappa Angel au visage, mais celui-ci tira sur la jambe de son adversaire et l'envoya rouler sur le sol. Puis il décocha un coup de genou dans l'estomac du prêtre, le forçant à se mettre à genoux. Ce fut le moment que choisit le type en peignoir pour l'attaquer.

— Passe-moi un pieu ! demanda Angel à Buffy.

Se baissant pour éviter les coups du jeune garçon, le bibliothécaire plongea vers le sac de la Tueuse. Il allait lancer un pieu à Angel quand une créature se jeta sur lui.

Par pur réflexe, Giles fit glisser l'arme sous son aisselle et le vampire vint s'y embrocher avant d'exploser. Sans se laisser démonter, Giles lança le pieu à Angel.

Sous l'identité d'Angélus, le petit ami de Buffy s'était attiré le surnom de « Fléau de l'Europe ». Ses adversaires n'avaient pas l'ombre d'une chance. Le prêtre disparut en un instant. Angel renversa le type en peignoir puis, à cheval sur sa poitrine, il lui enfonça son arme dans le cœur.

La fille ricana :

— Vous pouvez tous nous éliminer. D'autres prendront notre place. Mon Maître est revenu. Il réduira vos os en poussière.

— Revenu ? D'où ça ? interrogea Buffy avec curiosité.

— Si vous nous tuez tous, vous ne le saurez jamais, dit la fille à Angel.

Il répugnait à tuer une aussi jeune créature. Mais quand elle découvrit les crocs et se rua vers lui, il n'hésita pas à l'empaler.

Puis il se précipita au secours de Buffy, même si la jeune fille s'en sortait très bien toute seule. Elle s'était déjà débarrassée d'un des trois footballeurs et attendait une ouverture pour faire un sort aux deux autres.

Ils se rapprochèrent pour la prendre en tenaille. Buffy sourit et se laissa tomber à terre. Prenant appui sur les mains, elle effectua un balayage pour lequel son professeur de gymnastique lui aurait attribué une note maximale. Dommage que le combat contre les vampires ne fasse pas partie des disciplines académiques…

Touché aux genoux, un des footballeurs s'effondra. L'autre se pencha vers Buffy, mais la jeune fille lui envoya le talon d'une de ses bottes neuves dans la figure.

Le vampire poussa un grognement. Il porta les mains à son visage et ne vit pas le pieu qui s'enfonçait dans son cœur. Pendant qu'il s'évaporait, son coéquipier se releva. Ou du moins, il essaya mais disparut lui aussi avant d'y parvenir.

— À qui le tour ? cria Buffy.

Les quelques vampires encore indemnes s'enfuirent à toutes jambes. Jamais elle n'avait vu de morts vivants aussi disciplinés.

Haletante, elle se glissa dans les bras d'Angel.

Giles s'approcha et, ensemble, ils contemplèrent les petits tas de cendres, uniques vestiges de leurs adversaires. Puis une brise fraîche se leva et les balaya.

— Il vaudrait mieux filer d'ici, suggéra Giles en rassemblant les affaires de la Tueuse.

Voyant que Buffy frissonnait, Angel ôta son blouson et le lui posa sur les épaules.

— C'est le deuxième que je te donne, plaisanta-t-il. Si ça continue comme ça, je n'aurai bientôt plus rien à me mettre sur le dos.

— Une perspective intéressante, commenta Buffy, l'air gourmand.

Un éclair passa devant le visage d'Angel. Buffy fit volte-face. Au bout de la rue, les vampires couraient derrière une silhouette familière. Willow.

— Mon Dieu, murmura Buffy.

8

Fidèle à son habitude, Sanno, le Roi de la Montagne, se dressa parmi les nuages qui entouraient le mont Hiei et se mit en marche à la lueur de l'aube. Chacun de ses pas était pareil à un séisme.

Sanno était un dieu bienveillant et généreux. Il avait offert à son peuple des torrents où se rafraîchir, du gibier pour se nourrir, du bois pour construire des maisons et aussi le château du clan Fujiwara, niché au pied du mont Hiei.

Par ce froid matin d'hiver, goûtant déjà les heures qu'il allait partager avec ceux qui le révéraient, il descendit de sa montagne. Mais personne ne vint à sa rencontre.

Mécontent, Sanno écarta d'un souffle puissant les nuages qui lui obstruaient la vue. Il vit alors son peuple rassemblé au pied du mont Hiei. Les femmes pleuraient en lacérant leurs vêtements ; les hommes gisaient dans la boue.

Non loin de là, les membres de la famille Fujiwara étaient assis sur des *tatamis* blancs. Vêtus de leur kimono de cérémonie, immobiles comme des statues, ils avaient le visage ravagé par le chagrin et la douleur. Sanno les connaissait bien. Le seigneur, sa femme et leur fils étaient présents, mais pas leur fille Gemmyo, baptisée du nom de l'impératrice qui avait régné soixante-dix ans plus tôt.

Sanno songeait à épouser Gemmyo : les dieux n'avaient-ils pas droit au même bonheur que les mortels ? Elle était la plus belle et la plus douce jeune fille de la région. En outre, elle savait chanter et jouer de plusieurs instruments de musique. Combien de nuits avait-il fait trembler la terre en dansant au son de son *koto* ?

Sanno se dirigea vers ses fidèles pour découvrir la cause de leur chagrin. À sa vue, les villageois échangèrent des regards apeurés, puis ils s'écartèrent pour le laisser approcher.

À l'intérieur du temple, sous un dais brodé d'étoiles, sa bien-aimée gisait sur un coussin de velours rouge, les paupières closes comme si elle dormait. Un filet de sang, maintenant séché, avait coulé le long de son cou.

Une rage incontrôlable saisit Sanno. Le ciel se chargea de nuages, le tonnerre gronda, la terre ondula comme l'échine d'un dragon tiré de son sommeil.

Et Sanno fondit sur les villageois terrifiés.

— Qui a fait ça ? rugit-il.

Personne ne répondit.

Sanno tapa du pied, et le sol se fendit.

— Qui a fait ça ? répéta-t-il.

Les villageois gardèrent le silence.

Alors, un vieil homme s'avança. Malgré le froid, il ne portait pas de chaussures et son manteau était fait de paille tressée. Sanno le reconnut : c'était Genji, un pauvre fermier dont la femme était morte. Souvent, il venait prier devant son autel.

— *Sanno no kami*, dit-il d'une voix éraillée. Ces lâches se taisent parce que le meurtrier de Gemmyo les a menacés de mort s'ils le dénonçaient. Moi, je suis très vieux et je n'aspire qu'à vous servir.

Sanno porta une main à son énorme épée.

— Parle, Genji, ordonna-t-il. Et sache que si le courage te manque, je te tuerai de mes propres mains.

Le vieil homme secoua la tête et s'inclina à plusieurs reprises.

— Ne vous donnez pas cette peine, gracieux seigneur. Je n'ai pas peur de prononcer son nom à voix haute : il s'appelle Chirayoju.

Les villageois poussèrent des gémissements terrifiés.

— Chirayoju ? répéta Sanno. Je ne connais aucun *tengu* de ce nom.

— C'est un vampire qui a traversé l'océan. Il vient du royaume de Chine, expliqua Genji. Un sorcier capable de mettre le feu à nos maisons d'un simple geste, et de répandre les flammes avec son souffle. C'est pour cela que les autres restent muets : ils craignent son courroux. Moi, je m'immolerais par le feu plutôt que de vous mécontenter, puissant *Sanno-sama*.

— Imbécile ! s'exclama un jeune homme nommé Akio. (Il se rua sur Genji et le frappa.) Tu viens de nous condamner tous !

— Non. *Tu* viens de vous condamner, corrigea Sanno.

Il frappa violemment le sol du pied, faisant tomber Akio à genoux. Puis il leva son épée et trancha la tête du jeune homme.

Dans sa fureur, Sanno décapita tous les villageois. Quand il eut terminé, il tendit les mains vers Gemmyo ; des flammes purificatrices jaillirent de ses doigts et le cadavre de la jeune femme s'enflamma. Sa bien-aimée était morte, mais il s'assurait ainsi qu'elle ne se relèverait pas sous les traits d'une horrible créature de la nuit.

Le feu gagna le dais étoilé, la structure du temple, les arbres alentour, les huttes des villageois et la forteresse du clan Fujiwara. Un millier de personnes tombèrent, victimes de la colère de Sanno. Depuis ce jour-là, il ne fut plus un dieu bienveillant et généreux. Plus personne ne le révéra.

Mais tous commencèrent à le craindre.

9

Dans la voiture, Cordélia repoussa Alex.

— Ça ne va pas la tête ? Tu sais ce que tu veux ou non ? s'indigna Alex.

Furieux, il sortit du véhicule, trébucha, et épousseta son jean d'un air digne en se relevant. Puis il claqua la portière de toutes ses forces.

— C'est à moi que tu poses la question ? grommela Cordélia, les dents serrées.

Elle se glissa sur le siège conducteur, mit le contact et démarra en trombe.

— Et ta ceinture ! hurla Alex derrière elle. Espèce de folle !

Cordélia disparut au coin de la rue dans un crissement de pneus.

La colère d'Alex retomba aussitôt. Il se dirigea vers le porche des Rosenberg où il s'assit, le menton posé sur les genoux, les yeux clos. Il était sur le point de s'assoupir quand il entendit des pas légers remonter l'allée. Il se redressa.

— Willow ! s'exclama-t-il, soulagé. Je me faisais du souci pour toi !

Les poings sur les hanches, la jeune fille le toisa.

— Tu te faisais du souci pour moi ? répéta-t-elle.

— Euh… Will… dit Alex. Tu n'aurais pas sauté quelques repas, par hasard ? Je sais que tu t'éclates avec ton ordinateur, mais je te trouve plutôt grognon ces derniers temps. Peut-être que tu manques de sucre ou un truc comme ça…

— Silence ! cria Willow.

Alex haussa les sourcils.

— Tu prépares une pièce ou quoi ? Dans le cas contraire, je crois que tu en fais vraiment trop. Je sais que tu es traumatisée, mais si tu nous laissais t'aider…

L'espace d'un instant, Willow eut l'air d'une petite fille triste sur le point de pleurer. Alex se leva et s'approcha d'elle les bras tendus, s'attendant à ce qu'elle se blottisse contre lui.

— Alex, balbutia la jeune fille, l'air misérable.

Elle vint à sa rencontre en boitant et porta les mains à ses tempes…

— Alex, ça ne va pas du tout…

Puis elle fit un bond en arrière et cria :

— Non !

Avant que son ami ait le temps de réagir, elle lui décocha un coup de pied dans la figure. Sonné, Alex s'effondra. Willow se laissa tomber à califourchon sur lui, saisit ses cheveux à pleines mains et lui cogna la tête contre une marche.

— Will… Will… gémit Alex.

Du sang coulait de sa bouche.

— Je sens la vie qui s'écoule de toi, dit Willow.

Elle rejeta la tête en arrière et éclata d'un rire sinistre. Au moment où Alex croyait qu'elle allait se relever pour le laisser partir, elle se remit à le frapper de toutes ses forces. Jamais il n'aurait cru ça d'elle.

Il finit par perdre connaissance.

Dès qu'il entendit le crissement des pneus sur l'asphalte, Chirayoju sut que la mère de la jeune fille n'était pas loin de la maison.

Il se redressa, saisit Alex à bras-le-corps et le jeta dans les buissons qui bordaient le jardin des Rosenberg. Il était furieux de cette interruption : il avait hâte de se repaître de l'esprit du gamin. Grâce à ses pouvoirs, il pourrait absorber son essence vitale !

La voiture s'engagea dans l'allée.

— Ma chérie ? demanda, étonnée, Mme Rosenberg lorsqu'elle eut fini de se garer. Que fais-tu là ? Je croyais que tu devais réviser avec Buffy.

— J'en reviens, expliqua Chirayoju. On a arrêté de bonne heure. Je ne me sentais pas très bien et elle non plus. Elle a dit qu'elle devait couver quelque chose. Alex m'a raccompagnée, ajouta-t-il pour apaiser l'inquiétude de la mère de Willow.

— Depuis que tu t'es fait agresser, je ne suis pas tranquille de te savoir dehors, ajouta Mme Rosenberg.

Puis elle s'approcha d'elle et lui posa une main sur le front.

— Tu as de la fièvre. Rentre, ma chérie.

Chirayoju obéit.

Dès que la porte se refermera sur nous, je la tuerai, se promit-il.

Il n'aurait pas de mal à dissimuler un cadavre aussi insignifiant.

— D'accord. On reprend depuis le début, déclara Buffy.

Angel posa le grimoire d'incantations qu'il était en train de consulter.

Buffy tendit une main.

— Vampires.

Puis elle leva l'autre.

— Démons.

Elle fit semblant de jongler.

— Possession démoniaque.

— C'est à peu près ça, acquiesça Giles, très fier de son élève.

— Mais parler de possession vampirique… Je ne sais pas trop.

— De quelle autre façon peux-tu expliquer ce que nous venons de voir ? répliqua Giles.

Il se tourna vers Angel pour obtenir son soutien. Celui-ci était aussi sceptique que la Tueuse.

— Je ne suis pas très familiarisé avec ce type de phénomène, avoua-t-il en feuilletant son livre comme si toutes les réponses se trouvaient dedans. Pour ce que j'en sais, un vampire ne peut pas posséder un mortel.

— Toutefois, reprit Giles, on ne peut nier que le vampirisme est une forme de possession démoniaque, les vampires étant des cadavres humains que leur âme a désertés, et qui abritent l'esprit d'un démon.

Il se racla la gorge, l'air gêné.

— Je ne parle pas pour toi, bien sûr.

Angel fit un geste pour signifier qu'il n'était pas vexé.

— Mais il leur est impossible de passer d'un corps à l'autre, ni influencer les gens alentour. Même le Calice du Maître n'était pour lui qu'un moyen détourné de se nourrir.

Giles se tourna vers Buffy.

— Je suis navré de ne pas avoir prêté plus d'attention à tes inquiétudes concernant Willow. Il est clair que quelque chose de grave lui est arrivé…

Mal à l'aise, la jeune fille s'agita sur son siège.

— Je ne suis pas certaine à cent pour cent que c'était Willow.

Elle jeta un regard au téléphone.

— J'aimerais bien appeler chez elle, mais à une heure pareille, sa mère n'apprécierait pas.

— La journée et la nuit ont été longues pour tout le monde, acquiesça Giles. Je suis sûr que Willow viendra en cours demain matin et que vous pourrez éclaircir cette histoire.

Mais son pâle sourire traduisait son manque de conviction.

— Viens, je te ramène chez toi, dit Angel en se levant et en prenant la main de Buffy.

— D'accord, fit-elle, en le fixant de ses yeux bleus qui avaient le don de lire au plus profond de son âme.

Dès qu'ils furent sortis du lycée, Angel la prit dans ses bras et lui donna un long baiser passionné.

Il avait encore du mal à croire à cette folie : parmi toutes les mortelles du monde, il avait réussi à tomber amoureux de la Tueuse. Mais savoir que ses sentiments étaient réciproques rendait son existence de damné plus supportable. Angel était un paria, un vampire rejeté par ses semblables parce qu'il possédait une âme. L'amour de Buffy était ce qui lui donnait la force de continuer... Ça, et son vœu de débarrasser la Terre de toutes les autres créatures de la nuit.

— Angel, tout est si compliqué, murmura Buffy.

— Que veux-tu dire ? demanda-t-il gentiment, en passant une main dans ses cheveux blonds.

Elle haussa les épaules et posa sa tête contre la poitrine d'Angel.

— Cette histoire avec Willow... Elle se comporte comme une vraie garce depuis quelque temps. C'est sans doute à cause de ça que j'ai cru la voir avec les vampires qui nous ont attaqués.

— C'était peut-être elle, suggéra Angel.

— Non. Elle n'est pas possédée : elle a peur, c'est tout, s'entêta Buffy. Je n'arrive pas à croire que j'aie pu penser une chose pareille. C'est la même chose avec ma mère…

— Elle te prend pour une possédée ? s'enquit Angel, amusé.

Il se doutait déjà de ce que Buffy allait lui expliquer.

— Chaque fois que je la déçois… c'est-à-dire souvent, ma mère proteste : « Buffy, ça ne te ressemble pas. » Elle refuse d'accepter ma personnalité, voilà tout.

Elle leva vers Angel un regard troublé.

— Tu comprends ?

Le sourire du vampire s'effaça. Buffy devait grandir. C'était douloureux, mais obligatoire.

— Je pense.

— C'est comme Alex et Cordélia, continua la jeune fille en fronçant les sourcils. Eux aussi se conduisent bizarrement, ils sont incapables d'expliquer ce qui les pousse l'un vers l'autre.

— Les choses étaient moins compliquées quand j'avais ton âge, dit rêveusement Angel. Quand les gens réagissaient d'une manière étonnante ou inconvenante, on déclarait qu'ils étaient possédés, voilà tout. Ensuite, on les pendait ou on les brûlait… Parfois, s'ils avaient de la chance, ils finissaient leurs jours dans un asile.

D'une main, il souleva le menton de Buffy.

— Une fille avec autant de caractère que toi aurait été accusée de sorcellerie et jetée sur le bûcher.

— *Come on baby, light my fire*, fredonna Buffy.

— Ta mère ne voit que ce qu'il y a de meilleur en toi, dit Angel en caressant la joue de Buffy. Ton visage est le miroir de l'amour qu'elle te porte. Quand elle te regarde et qu'elle y voit un défaut, elle se le reproche comme si c'était sa faute. C'est pour ça qu'elle est si dure avec toi : parce que tu es la chose la plus importante au monde pour elle.

— Son miroir ? répéta Buffy, incrédule.

Elle réfléchit quelques instants et grimaça.

— Son miroir brisé…

— Non, protesta doucement Angel. Pur et transparent comme le verre.

Buffy secoua la tête.

— Tu te trompes.

— Jamais ! sourit Angel.

— Et toi ? Tu n'as pas de reflet, lança la jeune fille pour changer de sujet.

— Si : quand je te regarde.

Il l'embrassa, et elle lui rendit son étreinte avec passion.

De tout son cœur, Angel voulait être l'homme dont Buffy avait besoin. Mais la réalité, c'est qu'il était un vampire, dont l'âme humaine luttait contre les ténèbres à chaque instant. Et il se reprochait toutes les occasions où il l'avait déçue par le passé. Si seulement il existait un moyen de réparer ses erreurs…

— Angel, chuchota Buffy, je t'aime.

— Moi aussi, je t'aime, répondit-il.

— Je voudrais… commença la jeune fille.

Il lui posa un doigt sur les lèvres pour la faire taire.

— Laisse-moi te raccompagner, dit-il gentiment.

Depuis la chambre de Willow, Chirayoju écoutait les battements de cœur d'Alex, inconscient dans le jardin. De plus en plus faibles, de plus en plus espacés. Il serait mort avant l'aube. Dans le cas contraire, Chirayoju savait qu'il le retrouverait. L'inquiétude du garçon pour le petit Saule Pleureur le conduirait à sa perte.

Chirayoju s'approcha de la fenêtre pour regarder les ténèbres. Il y distinguait les silhouettes de toutes les créatures qu'il avait recrutées ou créées pour servir sa cause. Elles s'étaient rassemblées autour de la maison des Rosenberg, afin de rendre hommage à leur Maître.

Chaque nuit, l'armée de Chirayoju grossissait. Mais, à cause de cette maudite Tueuse, pas aussi vite qu'il l'aurait souhaité.

Une brise froide pénétrait par la fenêtre entrouverte. Chirayoju pensa aux fleurs de cerisier sur le flanc des montagnes japonaises, aux arbres magnifiques qui ornaient jadis le jardin de Sunnydale. Aujourd'hui encore, il apercevait leurs fantômes tremblants, se rappelant la sérénité qu'il avait ressentie lorsqu'il s'était agenouillé pour arracher un bonsaï rabougri : le premier de l'autel qu'il voulait ériger dans la chambre de la fille.

Mme Rosenberg frappa à la porte.

— Oui ? dit Chirayoju.

— Tu vas bien, ma chérie ?

— Très bien. Je suis fatiguée, c'est tout, répondit le vampire sur un ton irrité.

— Tu n'es plus toi-même depuis quelque temps, dit la voix derrière la porte.

Chirayoju se dirigea vers le miroir de la coiffeuse. Par la seule force de sa volonté, il brouilla les traits de la fille et fit apparaître son visage, masque verdâtre et grimaçant. La soif de conquête se lisait dans ses yeux.

— Bien sûr que si, maman. Qui d'autre voudrais-tu que je sois ? dit-il en réprimant un gloussement.

La mère du petit Saule Pleureur eut un rire nerveux. Elle ouvrit la porte et vint s'asseoir sur le lit.

— Tu étais si minuscule et si ravissante quand tu es née, dit-elle. Je te berçais pendant des heures et je ne me lassais pas de te regarder. Je n'arrivais pas à croire à tant de perfection. Tes mains et tes pieds. Chaque doigt, chaque orteil…

Elle saisit l'oreiller et le serra contre sa poitrine.

— La première fois que tu as piqué une colère, j'ai été choquée. Mon bébé si parfait ! Puis je me suis sentie fière de toi : déjà, tu devenais indépendante.

Elle poussa un soupir.

— Mais j'ai toujours espéré une chose : qu'une fois adulte, tu deviendrais peut-être mon amie.

— Moi aussi, maman, je l'espère, répondit-il en se forçant à sourire.

Si Mme Rosenberg était encore en vie, c'était parce que Chirayoju avait réalisé que sa disparition entraînerait une enquête.

Elle se leva, s'approcha de sa fille et posa un baiser sur sa joue. Chaque fois que Willow entendait la voix de sa mère, elle se débattait pour reprendre possession de son corps, obligeant le vampire à gaspiller de l'énergie pour garder le contrôle. Avec le temps, il finirait par anéantir sa volonté, et elle cesserait de lutter.

Dehors, les battements de cœur du garçon ralentirent encore. Bientôt, lui aussi cesserait de lutter.

10

Buffy était sur le chemin de la bibliothèque quand Cordélia se précipita vers elle, son portable à la main.

— Alex n'est pas venu au lycée ce matin. Et Willow non plus.

— Ha ! Tu crois qu'ils se sont enfuis pendant la nuit pour se marier à Las Vegas ? demanda Buffy.

— J'ai laissé Alex devant chez Willow hier soir, et apparemment ils ont disparu tous les deux. Alex et moi, on a l'habitude de prendre le petit déjeuner ensemble, il aurait appelé s'il n'avait pas pu venir, expliqua Cordélia.

— Tu n'as pas pensé qu'il ne souhaitait plus te voir ? suggéra Buffy.

Cordélia leva les yeux au ciel.

— Je t'en prie ! Fais-moi confiance : il n'est pas du genre à me poser un lapin !

Buffy dut reconnaître que Cordélia avait raison.

— Et si tu l'appelais ? proposa la jeune fille en fixant le portable de son amie.

Cordélia s'exécuta immédiatement.

— Madame Harris ? Bonjour, c'est Cordélia. Alex vous a sûrement parlé de... Est-ce que je peux lui parler ? Quoi ? La police ?

— Ô mon Dieu, chuchota Buffy en pâlissant.

— D'accord. Bien entendu. C'est promis. Au revoir.

Cordélia coupa la communication et saisit le bras de Buffy.

— Alex n'est pas rentré chez lui hier soir, dit-elle, affolée. (Ses yeux se remplirent de larmes.) Tu te rends compte ? Il est peut-être mort...

— Et Willow ? Appelle chez elle, suggéra Buffy.

À présent, elle regrettait de n'avoir pas téléphoné la veille malgré l'heure tardive. Cordélia lui tendit son portable.

— Fais-le, toi. Je ne connais pas son numéro.

Buffy attendit une bonne minute ; mais personne ne décrocha. Même le répondeur ne se mit pas en marche. Les deux jeunes filles échangèrent un regard inquiet.

— Giles, dirent-elles d'une seule et même voix.

Elles se précipitèrent vers la bibliothèque.

— On va lui demander de nous couvrir, déclara Buffy. Comme ça, on pourra sécher les cours sans se faire prendre.

Les deux filles pénétrèrent en trombe dans la bibliothèque.

Giles était en train de parler avec Oz ; il lui tendit un gros sac de toile dans lequel cliquetait quelque chose de métallique. Ils sursautèrent en voyant entrer les filles.

— Salut, vous deux. Je passais chercher mon nouveau système de contention. (Oz pointa un doigt vers le ciel.) La pleine lune approche...

— Je vois... acquiesça Buffy.

Le jeune homme avait récemment découvert qu'une morsure au doigt — que lui avait faite son neveu de trois ans — lui avait transmis le virus de la lycanthropie. Depuis, il se changeait en loup-garou à chaque pleine lune.

Oz plissa les yeux.

— Tout va bien ?

— Super, répondit Buffy en souriant et en flanquant un coup de coude à Cordélia pour ne pas que celle-ci vende la mèche.

— J'espère que Willow se remettra bientôt de son intoxication alimentaire, ajouta Oz avant de se lever.

— Attends un peu, dit Buffy en lui saisissant le bras pour le retenir. Tu lui as parlé récemment ?

— Elle m'a envoyé un e-mail. Allez, à plus.

— Si elle envoie des e-mails, c'est qu'elle n'a rien de sérieux, avança Cordélia.

— Il faut nous couvrir, dit Buffy d'une voix pressante. Alex et Willow ont disparu.

— Bien sûr, commença Giles, inquiet. Mais que... ?

Sans prendre le temps de répondre, elles s'élancèrent vers le couloir. Derrière elles, elles entendirent Giles protester :

— Quelqu'un voudrait-il m'expliquer ce qui se passe ?

— S'il te plaît, ne me tue pas, murmura Buffy alors que Cordélia prenait un virage sur les chapeaux de roue.

— Quand tu parles comme ça, tu me fais penser à Alex, répliqua Cordélia. Venant de lui, je peux comprendre : il a toujours vécu dans ce bled. Mais toi, tu arrives de Los Angeles !

— Ça ne m'empêche pas d'être consciente qu'on peut mourir à dix-sept ans, marmonna Buffy.

Elles arrivèrent rapidement devant la maison des Rosenberg. Cordélia jaillit hors de la voiture et s'engagea dans l'allée en titubant sur ses talons hauts. Buffy la retint au moment où elle allait gravir les marches du porche.

— Du calme ! nous ne savons pas ce qu'il se passe à l'intérieur, chuchota-t-elle.

— C'est vrai, acquiesça Cordélia, les yeux arrondis par l'excitation et la frayeur.

— Commençons par faire le tour pour voir si nous découvrons des indices, suggéra Buffy. Je prends à gauche et toi...

— À gauche aussi, déclara fermement son amie.

— D'accord. Reste derrière moi.

Buffy s'assura qu'elle avait un pieu et une croix à portée de main. Sur la pointe des pieds, elle foula le gazon en cherchant du regard une trace quelconque.

— Oh, mon Dieu ! s'écria Cordélia.

Les deux jeunes filles venaient de découvrir Alex derrière la haie. Son visage était en sang, il gisait immobile, pâle comme la mort.

La porte de la maison s'ouvrit. Buffy se retourna en brandissant son pieu.

Mais ce n'était que Mme Rosenberg, vêtue d'un peignoir, les yeux cernés comme si elle n'avait pas dormi de la nuit.

— Buffy, que se passe-t-il ? demanda-t-elle, alarmée.

— Appelez vite le SAMU, lui ordonna la jeune fille. C'est pour Alex...

— Il est mort ! cria Cordélia en s'agenouillant près du corps inanimé de son petit ami. Oh, mon Dieu !

Mme Rosenberg fit mine de s'approcher, mais Buffy la prit par le bras et la conduisit fermement dans la cuisine. Elle saisit le téléphone et composa le numéro du SAMU.

— Où est Willow ? demanda-t-elle en attendant que quelqu'un décroche.

— Partie, répondit Mme Rosenberg, anxieuse. J'attends qu'elle me passe un coup de fil et...

— J'ai appelé ici il y a une demi-heure, commença Buffy. Allô, les urgences ? Il y a eu un accident, pourriez-vous envoyer une ambulance ?

Elle passa le combiné à la mère de Willow pour qu'elle donne l'adresse exacte et se précipita à l'étage.

La chambre de Willow était vide, le lit défait. Les animaux en peluche de la jeune fille gisaient sur le sol... tous décapités. Buffy se pencha pour ramasser une licorne blanche : un crayon était planté à l'endroit du cœur.

Buffy se tourna vers l'ordinateur de Willow et vit clignoter le message : « Vous avez du courrier. » Elle se dirigea vers le bureau et cliqua sur la boîte à lettres électronique. C'était Oz.

J'espère que tu vas mieux. Bois beaucoup et prends des vitamines, avait-il écrit. *PS : Je t'adore.*

Près du clavier reposait un bonsaï rabougri. Il semblait vaguement familier à Buffy, mais elle n'arrivait pas à se rappeler où elle en avait vu de semblable. À côté était posé un objet étrange… C'était le disque de métal que Willow avait fait tomber au musée. Il y avait aussi un papier vert plié en forme de fleur. Buffy le déplia et y lut : *Je suis désolée.*

Dehors, la sirène d'une ambulance retentit. Buffy fourra la plante et le disque métallique dans son sac, afin de les montrer à Giles. Elle sortit de la chambre.

— Le SAMU vient d'arriver, cria Mme Rosenberg depuis le rez-de-chaussée. Les infirmiers voudraient te parler, Buffy.

— J'arrive.

La jeune fille se précipita dans l'escalier, mais la tête lui tourna et elle dut s'adosser au mur. Elle tremblait des pieds à la tête ; des larmes roulaient le long de ses joues. Si elle perdait ses amis, s'ils mouraient à cause de ce qu'elle était, jamais elle ne se le pardonnerait.

Buffy prit une inspiration et descendit.

Dehors, les infirmiers avaient sanglé Alex sur une civière qu'ils faisaient glisser à l'arrière de leur véhicule ; deux perfusions s'enfonçaient dans son bras droit, et un masque à oxygène couvrait son visage.

— Suivons-les, proposa Cordélia.

Buffy craignait que Willow soit déjà morte, ne laissant derrière elle qu'un mot d'excuse. De quoi était-elle désolée ? Buffy croyait le savoir, et cette idée la glaçait jusqu'à la moelle.

Possession vampirique. Quand elle en avait parlé avec Angel et Giles, ce n'était qu'une vague hypothèse. Une hypothèse qui se précisait et lui semblait de plus en plus terrifiante…

Le bibliothécaire avait dû faire de longues recherches pour obtenir le numéro qu'il cherchait, et maintenant qu'il l'avait trouvé, il hésitait. À Sunnydale, il était à peine midi. Mais à Tokyo, au Japon, il était déjà cinq heures du matin. Giles répugnait à tirer de son lit un vieillard de soixante-treize ans. Cela dit, il n'avait pas le temps de se préoccuper des convenances sociales.

Giles composa le numéro et attendit quelques instants. Quelqu'un décrocha enfin.

— *Moshi moshi ?*

— *Ohayo gozaimasu*, dit Giles dans un japonais hésitant. *Amerika kara, Giles desu…*

— L'estimé professeur Giles, répondit son interlocuteur dans un anglais impeccable. Ici Kobo. C'est un honneur de parler avec vous. Votre japonais est excellent, mais si ça ne vous dérange pas, j'aimerais profiter de cette occasion pour dépoussiérer mon anglais...

Kobo était un traditionaliste. Giles devrait procéder très prudemment pour ne pas l'offenser au cours de la conversation qui allait suivre.

— Merci, *sensei*, dit-il en utilisant le terme japonais qui signifiait « professeur », le titre le plus honorifique après ceux réservés aux empereurs et aux dieux.

— Pardonnez-moi de vous réveiller à une heure pareille, mais j'ai un problème assez urgent à résoudre et je pensais que vous pourriez peut-être éclairer de vos lumières certains points demeurés obscurs malgré mes recherches.

Après un long silence, Kobo reprit la parole.

— J'ai bien connu votre grand-mère.

— Ma... balbutia le bibliothécaire.

— Elle fut une très grande Gardienne, poursuivit Kobo.

— Elle vous tenait en très haute estime, enchaîna Giles. Et elle disait souvent que vous lui aviez appris tout ce qu'elle savait.

— Erreur, professeur Giles : votre grand-mère était déjà une Gardienne quand nous nous sommes rencontrés. Au nom de notre amitié et de notre respect mutuel, je serai ravi de pouvoir vous venir en aide.

Giles parla à Kobo de la curieuse attitude des vampires qui avaient attaqué Buffy, de la visite du musée et de la disparition d'Alex et Willow.

— Si vous avez des informations au sujet de Sanno, ça me serait très utile, conclut le bibliothécaire. D'autre part, je suis un peu étonné de n'avoir découvert aucune mention de vampires dans les légendes japonaises.

— Pardonnez-moi, honorable Giles. Sans vouloir mettre en doute votre efficacité, je crains que les textes que vous avez consultés soient incomplets. Il existe effectivement très peu de vampires japonais dans nos légendes : en général, ils sont considérés comme chinois, pour la simple raison que, dans l'Antiquité, la Chine était une nation beaucoup plus avancée que la nôtre, où les gens avaient davantage de moyens pour découvrir et traquer les morts vivants. À l'époque, le Japon n'était guère qu'un territoire en friche.

— Judicieuse remarque, murmura Giles.

— Vous me faites trop d'honneur.

Le vieil homme se racla la gorge.

— Quant à Sanno, s'il est bien le Roi de la Montagne dont parlent les légendes, il est connu ici sous le nom d'*Oyamagi no Kami*… mais je suis sûr qu'il en a d'autres. C'est une histoire ancienne, que l'on n'évoque plus guère de nos jours. Pardonnez-moi, mais avez-vous une collection complète des Journaux de Gardiens, professeur Giles ?

— Bien entendu.

— Dans ce cas, le nom de Claire Silver doit vous être familier…

Giles fouilla dans ses souvenirs quelques secondes avant d'avoir une illumination.

— J'ai lu son journal, confirma-t-il, mais c'était il y a des années, et je crains de ne pas me rappeler en détail son contenu…

De tous les Gardiens encore en vie, Kobo *sensei* était le plus sage et le plus respecté. À présent, le bibliothécaire entendait la pointe de moquerie dissimulée derrière la politesse convenue.

— Puis-je vous faire remarquer très respectueusement qu'un homme de votre érudition ne peut manquer de s'intéresser au journal de Claire Silver ? Il me semble y avoir lu un passage concernant le Roi de la Montagne. Mais je ne l'ai pas ouvert depuis que je n'ai plus de Tueuse à protéger. Ma mission est terminée…

Nous y voilà, songea Giles. À n'en pas douter, c'était une pique… soigneusement déguisée. Kobo sous-entendait qu'il ne prenait pas ses devoirs de Gardien au sérieux, sinon, il aurait appris par cœur l'ensemble des journaux.

— Mais Claire Silver était une Anglaise du XIXe siècle, protesta-t-il. Quel rapport avec le Japon médiéval ?

— Hélas, je vous ai dit tout ce que je savais, avoua Kobo. Pardonnez-moi de vous faire perdre un temps précieux…

— Au contraire, *sensei*, vous m'avez été d'un précieux secours. Votre sagesse et votre expérience sont sans égales. Je suis honoré que vous daigniez les partager avec moi. Merci beaucoup pour cette conversation : peut-être sauvera-t-elle la vie de la Tueuse, ainsi que celle de ses amis.

— Honorable Giles, dit le vieil homme, je loue votre dévouement envers l'Élue, mais il est très… inhabituel qu'un Gardien place le bien-être de la Tueuse, et plus encore celui de ses amis, au-dessus de la mission qui leur est impartie. À ma connaissance, les Tueuses ne sont pas censées entretenir de relations personnelles. Votre loyauté envers elle est très surprenante. Si j'ose me permettre, elle semble même frivole aux yeux du vieux Japonais que je suis.

La remarque rendit furieux le bibliothécaire.

— Avec tout le respect que je vous dois, je vous fais remarquer que la Tueuse dont je suis responsable est toujours en vie, *elle*.

Et il raccrocha au nez de Kobo.

Plusieurs minutes durant, il fouilla dans ses archives à la recherche du journal de Claire Silver, mais il n'en trouva pas trace. Le téléphone sonna. Était-ce Kobo qui revenait à la charge ?

— Oui ? demanda-t-il sèchement.

— Giles, c'est Buffy. Nous sommes à l'hôpital. Alex a été… attaqué, si vous voyez ce que je veux dire.

— J'arrive ! cria le bibliothécaire en bondissant de sa chaise.

— Moi, je pars chercher Willow.

— Pas question. Tu restes où tu es et tu m'attends, ordonna sévèrement Giles.

— Mais… protesta Buffy.

— Il n'y a pas de « mais » qui tienne.

Il raccrocha et se rua vers la porte.

Buffy voulait partir à la recherche de Willow dans les plus brefs délais, mais Giles l'avait sommée de ne pas bouger. Elle n'aimait pas qu'on lui donne des ordres. Cependant son Gardien devait avoir une bonne raison de le faire. Elle se résigna donc à lui obéir, et fit les cent pas dans la chambre d'Alex.

Cordélia tenait la main du jeune homme et la massait comme si elle pouvait le réchauffer et rendre un peu de couleur à sa peau si pâle.

Il avait perdu beaucoup de sang, et son cou portait des marques de succion. Se pouvait-il que ce soit Willow qui les ait faites ? Elle, un vampire ?

Quand Giles arriva enfin, Buffy était dans tous ses états. Le Gardien lui rapporta aussitôt sa conversation avec Kobo.

— Nous devons absolument savoir ce qui lui est arrivé, insista-t-elle en désignant Alex. Votre boulot n'est pas de vous ronger les ongles en veillant Alex. Kobo vous a dit où chercher les réponses à nos questions, et c'est votre devoir de bibliothécaire de suivre son conseil.

Giles allait protester quand Cordélia l'appela d'une voix basse.

— Giles… Je vais rester là. Dès qu'Alex sera en état de me raconter ce qui s'est passé, je promets de vous appeler.

Giles fit la moue.

— Je me débrouillerai, continua Cordélia sans détacher son regard d'Alex. Je veillerai sur lui. Vous, vous devez retourner à la bibliothèque pour lire le journal de Claire Machin. Chacun de nous a un travail à faire, et le vôtre n'est pas de rester ici.

— Le mien non plus, intervint vivement Buffy. Il faut que je parte chercher Willow.

— Prends ma voiture, offrit généreusement Cordélia.

— Je n'ai pas le permis.

— Mais tu sais conduire quand même, non ?

— Je ne suis pas sûr que ce soit une bonne idée… commença Giles.

Buffy l'interrompit. Pour une fois, Cordélia avait raison.

— Je crois que j'arriverai à m'en sortir.

Elle prit les clés et sortit de la chambre en courant. Il n'était qu'une heure de l'après-midi, mais elle devait absolument retrouver Willow avant la tombée de la nuit…

11

La nouvelle armée de Chirayoju était constituée de démons tels que les *oni*, arrivés de Chine avec les bouddhistes, les vampires appelés *kappa*, créatures couvertes d'écailles à la tête en forme de bol rempli d'eau magique. Quand ils la renversaient, ils perdaient leurs pouvoirs… mais pas leur soif de sang.

Ils campèrent dans la forêt, le temps d'évaluer les défenses du palais impérial. Couvents et monastères constellaient les collines alentour. Une statue de Bouddha haute comme huit hommes saluait chaque jour le lever du soleil. Chirayoju méprisait cette figure divine : il la considérait comme un être faible.

Les nobles de la province écrivaient des poèmes ou parlaient philosophie tandis que le peuple mourait de faim. Les taxes étaient élevées, les récoltes maigres. Bref, les conditions idéales pour un soulèvement.

Chirayoju profita de cette situation. La nuit, il quittait le camp pour aller convertir les paysans affamés. Il leur assurait qu'il ferait leur richesse s'ils obéissaient à ses ordres.

Peu à peu, les paysans crurent en lui. Ils se mirent à attendre ses visites nocturnes et se délectèrent du récit de l'existence qui serait la leur dès qu'ils auraient livré l'empereur Kammu à Chirayoju. Bientôt, ils prirent leurs fourches et commencèrent à s'entraîner. Ils se préparaient à prendre le palais d'assaut.

Comment auraient-ils pu se douter que Chirayoju le Libérateur avait promis leur sang aux *oni* et aux *kappa* ? Eux non plus ne savaient pas que leur maître avait promis leur sang magique à une troisième armée, en échange de sa fidélité : celle des vampires issus des rangs des *eta*.

Au cœur de la nuit, Chirayoju volait en silence vers le quartier de ces Intouchables, ceux qui tuaient les animaux, tannaient leur peau et préparaient les cadavres humains pour les enterrements. Méprisés par tous, les *eta* étaient prêts à se damner en échange du pouvoir et de la liberté que le Libérateur leur conférerait.

Ses trois contingents de soldats prêts à donner l'assaut, Chirayoju se réfugia au plus profond d'une caverne. Il ignorait que Sanno, le Roi de la Montagne, avait rassemblé et dissimulé dans les collines des milliers de fidèles pour lui tendre une embuscade.

Et le Roi de la Montagne avait juré de détruire Nara, capitale de l'empire du Soleil-Levant, voire tout le Japon, plutôt que de laisser Chirayoju lui échapper. La vengeance était devenue son obsession.

12

Buffy avait parcouru plusieurs kilomètres quand elle réalisa qu'elle avait oublié de montrer à Giles le bonsaï, le disque métallique et le message laissé par Willow. Son Gardien n'avait peut-être pas tort quand il louait les vertus de la réflexion plutôt que celles de l'impulsivité…

Buffy résolut de faire d'une pierre deux coups en le retrouvant au lycée. Après tout, Willow avait pu se rendre là-bas pour requérir l'aide de Giles. Ça valait le coup d'essayer.

Avant de pénétrer dans le bâtiment, la jeune fille joignit le disque métallique à la chaîne qu'elle portait autour du cou, où pendait un crucifix.

Une légère décharge d'énergie la traversa des pieds à la tête. Ça aurait pu être de l'électricité statique. Elle en prit mentalement note puis se dirigea d'un bon pas vers la bibliothèque. Elle ouvrit la porte à la volée, espérant qu'elle trouverait Willow occupée à pianoter sur l'ordinateur.

— Willow ! appela-t-elle. Tu es là ?

— Ravi de voir que je ne suis pas le seul à chercher Mlle Rosenberg, ricana une voix dans son dos. Ainsi que mon bibliothécaire.

Le proviseur.

— Bonjour, balbutia-t-elle.

D'habitude, c'était à ce moment-là que Giles surgissait pour lui sauver la mise. Mais ce n'était pas son jour de chance.

— Ne jouez pas à l'innocente avec moi, mademoiselle Summers ! cria Snyder.

Buffy savait qu'il ne l'avait jamais aimée, et elle le lui rendait bien. Mais il était le responsable de l'établissement, et il connaissait le numéro de téléphone de sa mère. Par cœur !

— Qu'ai-je fait ? protesta-t-elle en ouvrant de grands yeux innocents.

— C'est justement ce que j'aimerais savoir, dit Snyder, l'air sévère. Où vous croyez-vous donc, dans une de ces boîtes de nuit que vous fréquentez ?

— C'est que… je cherche Willow et M. Giles.

Buffy rentra la tête dans les épaules en prévision de l'orage qui allait se déchaîner.

— Vous êtes une impertinente ! s'égosilla Snyder.

Soudain, Buffy en eut assez de se laisser malmener par cet imbécile.

— Vous pourriez demander ce qui m'inquiète, s'indigna-t-elle.

— J'y arrivais justement, mademoiselle Summers. Croyez-vous que je n'ai pas remarqué votre absence d'aujourd'hui ? Je vous ai vue vous garer sur le parking il y a cinq minutes… avec une voiture qui ne vous appartient pas, bien sûr. Vous savez que je pourrais vous renvoyer sur-le-champ ?

— En fait, improvisa Buffy, M. Giles nous avait envoyées, Cordélia Chase et moi, à la bibliothèque municipale pour chercher un livre dont nous avons besoin, dans le cadre d'une étude qu'il supervise.

— Ce n'est pas une excuse, protesta-t-il, quelque peu ébranlé par cette explication.

— Je suis sûre qu'il vous montrera notre autorisation de quitter le lycée dès qu'il sera de retour… ajouta Buffy en prenant son air le plus innocent. En outre, quand Cordélia et moi sommes parties, nous étions en étude, donc nous n'avons pas manqué de cours.

— Ne vous faites surtout pas d'illusion : je vérifierai cette histoire, grogna Snyder. Mais, pour commencer, je vais vous coller deux heures de retenue tous les soirs de la semaine prochaine… Et si vous m'avez menti, ce sera trois heures pendant quinze jours.

Buffy perdit patience.

— Écoutez, espèce de… monsieur Snyder. Alex Harris est à l'hôpital, et Willow Rosenberg a disparu. Sa mère craint qu'elle n'ait été enlevée… ou pire. C'est pour ça que Cordélia et moi nous sommes absentées. En ce moment, elle est au chevet d'Alex.

— Je ne vois pas ce que Cordélia Chase ferait avec vous, et encore moins avec le jeune Harris, objecta Snyder en croisant les bras sur sa poitrine. Il va falloir inventer quelque chose de plus plausible, mademoiselle Summers.

— Vous savez quoi ? dit-elle en relevant le menton d'un air de défi. Si vous voulez me coller des heures de retenue, n'hésitez pas. Je vais me préparer pour mon cours de biologie, déclara-t-elle d'un air décidé.

Elle fit demi-tour en ignorant superbement le proviseur et se dirigea vers les toilettes.

Après avoir vérifié qu'il n'y avait personne, Buffy se hissa jusqu'au vasistas, se glissa dehors, puis s'élança à travers le parking jusqu'à la voiture de Cordélia.

Willow n'était pas à la bibliothèque municipale non plus. Buffy passa le reste de l'après-midi à visiter l'un après l'autre tous les lieux où son amie aurait pu se rendre : les librairies spécialisées, le coiffeur qui lui teignait les cheveux en roux, le club vidéo où Alex louait ses films d'action... En désespoir de cause, la jeune fille appela la bibliothèque du lycée pour parler à Giles. Mais la ligne était occupée. Elle réessaya peu après, mais personne ne répondit.

Le crépuscule allant bientôt tomber, Buffy renonça à joindre Giles et appela la mère de Willow pour lui demander si elle avait des nouvelles de sa fille. Hélas, non. Mme Rosenberg pleurait ; elle était dans tous ses états.

Après avoir raccroché, Buffy se força à réfléchir calmement. Elle avait l'impression que tout ça allait très mal finir.

La lumière grisâtre du crépuscule filtrait à travers les stores de la chambre d'hôpital. Alex Harris gisait toujours inconscient…

Clic. Le bruit d'un combiné qu'on raccroche résonna dans la tête d'Alex. Il entrouvrit les paupières.

— Il faut que j'y aille, Aphrodésia : je crois qu'il vient de reprendre connaissance, fit une voix féminine.

Un visage flottait dans son champ de vision. Un visage qu'il connaissait.

— Daphné ?

— Qui est Daphné ? demanda l'apparition d'un ton sec.

Alex cligna des yeux.

— Hein ?

— Daphné ! Tu viens juste de m'appeler Daphné ! Ça fait des heures que j'attends ton réveil, je te croyais mort, et toi, tu me parles d'une fille qui s'appelle Daphné !

Il identifia enfin Cordélia au grognement qu'elle poussa.

— Je vois, lâcha la jeune fille, glaciale.

Alex avait conscience qu'il se trouvait à l'hôpital, mais il ne savait pas de quelle manière il y était arrivé. Quand les souvenirs remontèrent enfin à la surface de son esprit embrumé, il eut l'impression qu'on venait de lui décocher un coup de poing dans l'estomac. Maladroitement, il se redressa sur l'oreiller et dévisagea son amie.

— Où est Willow ? demanda-t-il d'un ton pressant. Et Buffy ?

La jeune fille leva les yeux au ciel.

Tout ébouriffé, Giles fit soudain irruption dans la chambre. Dans sa main droite, il tenait deux minces cahiers à la couverture craquelée.

— Il semble que j'arrive juste au bon moment, déclara Giles, un peu rasséréné. Alex, que s'est-il passé ? Willow a disparu, et les indices que nous avons découverts nous poussent à tirer d'horribles conclusions.

— Si vous le dites… mais si une de vos horribles conclusions est que Willow a essayé de me vampiriser, vous avez tapé dans le mille !

Cette seule idée le rendait malade.

— En fait, le rassura Giles, nous pensons que Willow n'est pas *techniquement* un vampire… Du moins, pas encore. Nous pouvons encore la sauver si nous la retrouvons à temps.

— Très bien. Allons-y, dit Alex en repoussant ses couvertures.

— Qu'est-ce que tu fais ? protesta Cordélia.

Le jeune homme grimaça de douleur. Il avait une ou deux côtes fêlées qui lui comprimaient la poitrine, et tout tangua autour de lui. Pourtant, il se leva.

— Ils m'ont filé une chemise de nuit grande comme un timbre-poste, marmonna-t-il en se plaquant contre le mur.

Giles étudia le bout de ses chaussures avec un air de fascination absolue tandis qu'Alex enfilait tant bien que mal la plus grande invention de l'histoire de l'humanité. Un pantalon. Puis il se dirigea en titubant vers la porte, et se plia en deux.

— Alex, tu n'es pas en état de te lever, déclara sévèrement Giles. Recouche-toi.

— Il faut retrouver Willow, protesta Alex. Et Buffy. Avant qu'elles… avant qu'elles ne finissent par se faire du mal. Nous devons agir.

— Alex, dit gentiment Giles. Chacun de nous doit faire ce qu'il réussit le mieux.

— Quand Willow m'a… mordu, elle a éclaté de rire, souffla-t-il. Elle riait en buvant mon sang.

— Est-ce qu'elle… t'a forcé à boire le sien ? demanda Giles, très inquiet.

— Je n'aurais jamais fait une chose pareille !

— J'ai dû louper quelque chose, intervint Cordélia. Hier, Willow est sortie pendant la journée, d'accord ? Donc, elle ne peut pas être un vampire. Dans le pire des cas, elle est juste possédée par l'un d'eux.

— C'est ce qu'il semblerait, reconnut Giles.

— Une chose est sûre, affirma Alex. La… créature qui m'a attaqué hier soir… avait le visage de Willow, mais ce n'était pas elle. Même sa voix était différente. Et elle se désignait par un nom bizarre… On aurait dit du japonais.

— Ou du chinois ? demanda vivement le bibliothécaire.

Le jeune homme haussa les épaules.

— Pour moi, ça sonne pareil. Vous tenez un début d'explication ?

Giles soupira.

— Peut-être bien...

— Vous voudriez bien cracher le morceau une bonne fois pour toutes ? interrompit Cordélia.

Giles se dirigea vers la fenêtre pour observer le ciel qui s'assombrissait.

— Le nom qu'Alex a entendu était sans doute celui de Chirayoju, commença-t-il. Vous vous souvenez de notre visite au musée la semaine dernière ? Willow s'est coupé le doigt avec une vieille épée ayant appartenu à une sorte de dieu japonais : Sanno, le Roi de la Montagne.

— Jusque-là, je vous suis, acquiesça Alex.

— Quel rapport avec ce Cheerios ? s'enquit Cordélia.

— Le texte qui accompagnait l'épée parlait d'une bataille légendaire entre Sanno et un vampire chinois nommé Chirayoju, qui s'est terminée par leur mort à tous les deux. Ce matin, j'ai appelé un Gardien en retraite qui m'a conseillé de lire le journal de Claire Silver. (Le bibliothécaire brandit les deux cahiers qu'il avait apportés.) C'est une érudite anglaise du XIXe siècle, la première qui ait entrepris de rassembler tous les journaux de Gardien. Laissez-moi vous en lire un passage.

— Pitié, euthanasiez-moi tout de suite, grommela Alex.

— Chut, lui ordonna Cordélia en se redressant. Moi, je suis tout ouïe.

Giles commença à lire.

6 janvier 1817

Le docteur vient de partir, emmenant avec lui tous mes espoirs de sauver Justine. La pauvre petite est inconsciente ; ses blessures sont si graves et si nombreuses que je ne puis rien faire pour elle. Je dois me résigner à sa mort prochaine.

Je sais que quelque part sur cette vaste planète, un autre Gardien vient d'être alerté, et qu'il entraîne déjà sa Tueuse pour continuer le combat : défendre notre monde contre les vampires et autres créatures des ténèbres.

Tandis que ma protégée se prépare à quitter cette pénible existence, une autre enfant voit la sienne irrévocablement transformée… pour le pire.

Bientôt, il ne restera de ma pauvre Justine, de toutes ses batailles, de ses nombreuses victoires et de son ultime défaite, que les mots écrits sur ce cahier et la pierre qui ornera sa tombe. Je ne puis tolérer l'idée que les forces des ténèbres l'ont enfin vaincue, après tout ce qu'elle a enduré.

Quant à moi — et je sais combien cette pensée semblera égoïste —, je ne tarderai pas à devenir ce dont Justine s'est si souvent moquée : une de ces vieilles Anglaises poudrées, dentelées et enrubannées comme une figurine de porcelaine. Mes journées ne seront plus que thés, soirées dansantes et ragots.

Je ferai semblant de tout ignorer du maniement des armes, du combat et de la meilleure manière d'embrocher un vampire. Je renoncerai à tout ce que j'avais appris pour servir Justine. Je deviendrai aussi inutile qu'une gouvernante en retraite.

Dans notre société, il n'a pas été possible à Justine d'accepter de soupirant : jamais elle n'aurait pu se comporter comme on l'exige d'une jeune femme. Je l'imagine en train d'expliquer à son futur époux qu'elle doit sortir en pleine nuit se battre contre des démons. Pourtant, à quoi ont servi nos efforts ? Qu'ont rapporté tous nos sacrifices ?

Un caillou vient de frapper contre la vitre. Je me demande qui est là…

Notre visiteur est-il quelqu'un à qui je vais pouvoir me confier ? La bonne vient de frapper à la porte. Je reprendrai mon récit plus tard.

Je ne sais pas si je dois pleurer de triomphe ou de terreur, mais ma main tremble tant que j'ai du mal à écrire ces lignes. Notre visiteur n'était autre que le grand lord Byron, célèbre poète et coureur de jupons notoire. Il était vêtu de manière impeccable, bien que légèrement excentrique, avec une veste de brocart et un chapeau à large bord. Personne ne l'avait vu en Angleterre depuis plus de cinq ans.

Justine et moi nous sommes souvent demandé s'il n'était pas un vampire. C'est au moins ce que laissent penser son extrême pâleur, l'emprise qu'il exerce sur ses semblables et la passion qui semble l'animer.

Et voilà qu'il arrive au soir de ce qui pourrait bien être le dernier jour de la vie de Justine, pour nous remettre certains ouvrages ainsi que des fragments de parchemins orientaux.

Avec un étrange sourire, il a évoqué son admiration pour « notre travail » et fait plusieurs allusions aux « talents spéciaux » de Justine. J'en conclus qu'il sait tout, même si j'ignore comment il l'a appris.

Mais, chut ! Justine s'éveille et réclame un verre d'eau. Ma petite, ma Tueuse…

Je donnerais ma vie pour que la sienne soit épargnée.

7 janvier 1817

Justine a passé la nuit, et malgré mon épuisement, je me suis réjouie de lui raconter la merveilleuse histoire que je viens de lire. Il semble que la légende sur laquelle nous nous sommes si souvent interrogées — celle de la Tueuse Perdue — ait un fondement véridique. D'ordinaire, et je suis hélas bien placée pour le savoir, c'est le Gardien qui survit à sa protégée.

Mais j'ai plusieurs fois découvert des textes évoquant une Tueuse qui aurait perdu le sien au début de sa mission. J'ignore dans quelles circonstances, et je ne connais pas non plus son nom.

Presque tous les écrits que m'a remis lord Byron ont été traduits. Mais personne n'a pris la peine de les organiser en un tout cohérent. Il y a des notes éparses en anglais, en italien et en latin — par chance, je lis assez bien ces deux dernières langues — et aussi en allemand, que je ne maîtrise pas du tout. Je vais devoir solliciter l'aide d'une tierce personne pour les déchiffrer.

J'ai passé la nuit à lire, et pourtant, je commence à peine à entrevoir le fil conducteur de ces écrits. Les mettre en ordre sera le travail de toute une vie... Justine m'a promis de demeurer en ce monde jusqu'à ce que nous ayons résolu le mystère. Si étudier ces écrits pour y trouver la clé de la légende peut la retenir près de moi ne fût-ce que quelques jours de plus, je chanterai les louanges de lord Byron jusque dans ma tombe.

Allons, il est temps de me remettre au travail.

1er février 1817

Nous n'avions pas pensé à une chose : Justine étant toujours vivante, bien qu'extrêmement affaiblie, elle reste l'unique Tueuse de sa génération. Même si elle ne peut pas quitter le lit, elle continue à porter le manteau de l'Élue vers laquelle convergent les forces des ténèbres.

Cette révélation l'a chagrinée, car elle a l'impression de manquer à son devoir. « Oh, Claire ! a-t-elle sangloté aujourd'hui. Si seulement je pouvais passer le relais ! Mieux vaudrait que je meure plutôt que de laisser le monde sans protection ! »

Je l'ai encouragée à lutter encore, mais le docteur m'a prise à part plusieurs fois pour me rappeler qu'il est assez fréquent que les agonisants aient un dernier regain de vie avant de trépasser. Il ne nourrit guère d'espoir. Cela m'étonne car je trouve que l'état de Justine s'est beaucoup amélioré ces dernières semaines.

Ce soir, je partirai en chasse. Quelqu'un doit le faire, et Justine en est incapable. Je ne m'y résigne pas de gaieté de cœur ; en réalité, je suis terrorisée. Je ne suis qu'une Gardienne, mais c'est le prix à payer pour la tranquillité d'esprit de ma protégée.

13 février 1817

J'ai l'impression de faire une course contre la montre. Comme le docteur l'avait prédit, l'état de Justine a de nouveau empiré. Son visage a pris la couleur de la cendre, et chaque inspiration semble lui déchirer la poitrine. Pourtant, elle a ouvert les yeux il y a une heure, souri comme une petite fille et demandé : « Qu'as-tu découvert ? Sommes-nous toujours sur la piste ? »

Soit elle fait semblant de s'y intéresser pour me distraire, soit elle est aussi captivée que moi par la légende de la Tueuse Perdue. Dans un volume de légendes chinoises, Le Livre de l'empereur Taizu, *j'ai souligné le passage suivant :*

« Il est vrai qu'autrefois les démons possédaient ce monde. Ils l'ont perdu au cours d'une grande bataille contre l'empereur, et continuent à lutter pour le récupérer. »

C'est précisément ce qu'on enseigne aux Gardiens et aux Tueuses… n'était-ce le détail concernant l'empereur. Le plus étonnant, c'est que d'après notre traducteur, ces mots furent écrits en 971 avant J.-C. !

28 février 1817

Ma Justine est morte. À l'instant où j'ai vu la lumière quitter ses yeux, j'ai agrippé le montant du lit en criant : « J'ignorais que ce serait aussi difficile ! »

Bien que je me sois endurcie en prévision de ce moment, je n'y étais pas vraiment préparée. Ils sont venus m'aider à laver et à vêtir son pauvre cadavre. Demain matin, nous l'enterrerons au cimetière de l'église.

Je ne peux supporter son absence. Que ferai-je de mes jours et de mes nuits ? La réponse à cette question se trouve au cœur des parchemins de lord Byron.

Les dernières paroles que m'adressa Justine furent les suivantes : « Promets-moi que tu résoudras le mystère. » Je lui dois donc d'achever mon travail.

6 janvier 1818

Une année s'est écoulée depuis la défaite de Justine. Je suis ravie que celle qui lui a succédé ait découvert ses meurtriers et s'en soit débarrassée. Pour moi, c'est comme une faveur personnelle... Je me suis même rendue sur la tombe de Justine pour l'en informer.

Je ne suis pas devenue aussi inutile que je le craignais. La communauté des Gardiens m'honore pour le travail accompli auprès de Justine. Tandis que je dénoue peu à peu les fils de la légende de la Tueuse Perdue, mes pairs m'envoient les informations découvertes de leur côté, des volumes entiers, dans certains cas !

Ce matin, j'ai ouvert un colis expédié par un professeur de la nouvelle université de Ghent. À l'intérieur se trouvait la traduction d'une légende japonaise : celle du dieu Sanno, surnommé le Roi de la Montagne, qui régnait autrefois sur le mont Hiei.

Sanno est surtout connu pour avoir détruit, en lui plongeant son épée magique dans le cœur, un vampire chinois qui voulait se repaître de l'empereur du Japon. « Se pourrait-il que Sanno soit votre Tueuse Perdue ? » demande mon collègue. Je n'en ai aucune idée...

18 mars 1819

Je viens juste de recevoir un exemplaire de mon livre, Sorts Orientaux compilés par Claire Silver, une Gardienne. *Imprimé de manière confidentielle par un des nôtres, il circule sous le manteau au sein de notre petite communauté.*

Me sentir encore utile me réconforte, car malgré les deux ans passés depuis la mort de Justine, je ressens son absence aussi cruellement que si elle nous avait quittés hier. Tous les jours, je me rends sur sa tombe pour lui faire part de l'avancement de mes recherches.

J'ai établi sans l'ombre d'un doute que Sanno était une divinité de sexe masculin ; par conséquent, il ne peut être la Tueuse Perdue. Mais son histoire m'a intriguée et poussée à rassembler de nombreux sorts orientaux... d'où le fameux ouvrage.

Giles leva les yeux du cahier qu'il était en train de lire.

— Malédiction !

Cordélia cligna des paupières.

— Quoi ?

— J'ai le sentiment que ce que nous cherchons se trouve dans ce fameux grimoire.

Le bibliothécaire feuilleta le second cahier et secoua la tête.

— Celui-là ne nous servira à rien. Apparemment, Claire Silver s'est mariée et a eu quatre enfants. Elle raconte ici leurs voyages en Suisse.

— Comme c'est excitant ! ironisa Cordélia.

Quant à Alex, il s'était endormi.

Giles jeta un coup d'œil au téléphone.

— Je voudrais bien que Buffy nous donne des nouvelles, soupira-t-il.

— Vous devriez retourner à la bibliothèque chercher votre fameux bouquin, proposa Cordélia. Moi, j'attendrai ici au cas où elle appelle.

— D'accord.

Giles se leva et observa Alex une dernière fois avant de sortir.

— L'endurance de la jeunesse m'étonnera toujours, murmura-t-il. (Puis, voyant l'air interloqué de Cordélia :) Ses joues reprennent déjà un peu de couleur, expliqua-t-il.

— C'est à cause de la perfusion, dit Cordélia en indiquant la poche de sang reliée au bras d'Alex. L'infirmière est venue la changer pendant que vous lisiez le passage sur lord Brian.

— Byron, corrigea Giles.

— Peu importe. Dépêchez-vous de filer, lui enjoignit Cordélia.

— Puisqu'il le faut... Mais reste vigilante.

Il glissa les cahiers sous son bras et partit.

Cordélia était un peu ébranlée. Cette histoire de Tueuse agonisante... Ça lui foutait la trouille. Depuis qu'elle traînait avec Alex et ses amies, jamais Cordélia ne s'était vraiment rendu compte qu'ils risquaient tous leur vie.

Cinq minutes plus tard, le téléphone sonna.

— Oh, salut, Harmonie. Non, je suis toujours coincée ici. Incroyable, je sais, mais sa mère a dû partir chercher je ne sais quoi. Oui, il a fait une mauvaise… euh… chute… Des soldes ? Je suis en train de rater des soldes ? Tu appelles de ton portable ? Génial. Dépêche-toi d'aller au rayon des cuirs. Si la veste que j'ai vue la semaine dernière est à moitié prix, il faut que tu l'achètes pour moi. En 36. Évidemment, que je te rembourserai !

13

Dans la chambre d'Alex, la ligne était toujours occupée. Buffy remonta dans la voiture de Cordélia en poussant un soupir.

Le soleil se couchait quand elle arriva devant l'immeuble où habitait Angel. Elle saisit son sac de Tueuse, sortit du véhicule et monta les marches quatre à quatre.

C'était le dernier endroit où Willow pouvait se cacher. Angel était un vampire étonnant. *Non, une personne*, songea Buffy en toquant à la porte. Ses chances d'aider son amie faiblissaient en même temps que les rayons du soleil. Il lui restait tout au plus une vingtaine de minutes…

— Désolée de te réveiller, marmonna-t-elle en pénétrant dans l'appartement et en déposant son sac sur le sol.

Elle s'était depuis longtemps habituée à la pénombre qui régnait ici et au mobilier éclectique d'Angel.

— Buffy, qu'est-ce qui ne va pas? s'inquiéta Angel.

— Willow, chuchota la jeune fille.

Les yeux remplis de larmes, elle résuma ce qui s'était passé depuis leur dernière rencontre. Angel ouvrit les bras, et elle vint se blottir contre sa poitrine.

— Cet autel que tu as découvert chez elle... Qu'est-ce que c'est ? s'enquit Angel.

— Je ne sais pas, avoua Buffy. J'étais tellement pressée que j'ai oublié d'en parler à Giles. Et maintenant, je n'arrive ni à lui mettre la main dessus ni à le joindre au téléphone. Pour ce que mes recherches ont apporté, j'aurais dû rester à l'hôpital...

Elle poussa un soupir de lassitude.

— Tu veux bien me montrer les choses que tu as trouvées sur le bureau de Willow ? demanda Angel.

Buffy saisit son sac et en sortit d'abord le message laissé par son amie.

— Un *origami*, constata Angel en observant les curieuses pliures de la feuille de papier. Une forme d'art asiatique.

Puis elle lui montra le disque pendu à sa chaîne, et Angel secoua la tête.

— Ça ne me dit rien.

Enfin, elle brandit l'arbuste rabougri.

— Hum, marmonna Angel. Un bonsaï. Mais il est mort depuis longtemps.

— Comment sais-tu ça ? s'émerveilla Buffy.

— J'ai beaucoup voyagé...

— Moi, je ne peux jamais aller nulle part, gémit la jeune fille, qui ne plaisantait qu'à moitié.

Angel lui posa un léger baiser sur les lèvres.

— Je suis navré de ne pas pouvoir t'aider davantage, dit-il tout bas. Mais si Willow est un vampire, elle a dû se cacher toute la journée. Les vampires ne vont pas au lycée, tu sais.

Buffy le dévisagea.

— Que viens-tu de dire ?

— Que les vampires...

— ... ne vont pas au lycée ! Bien sûr ! s'exclama la jeune fille, très excitée. Les choses que j'ai trouvées sur le bureau de Willow ne sont pas le genre de souvenirs qu'elle garderait, expliqua très vite Buffy. C'est le... la créature qui la possède qui les y a mises. J'ai perdu mon après-midi à visiter les endroits où *Willow* pourrait aller. Mais en fait, elle n'est plus elle-même.

La jeune fille réfléchit aux perspectives que lui offrait cette révélation.

— Le bonsaï a été arraché du sol... (Elle se frappa le front.) Le jardin d'amitié ! C'est à ça qu'il me faisait penser !

Elle expliqua à Angel sa visite du musée et l'histoire du jumelage entre Sunnydale et Kobé.

— Les deux villes sont peut-être reliées par leurs jardins d'une façon que je ne comprends pas encore, conclut-elle. Peut-être un autre vortex... Devenue vampire, Willow doit se sentir attirée par ce lieu.

— Il n'y a guère d'endroits ici où se procurer un bonsaï, acquiesça Angel.

— À Los Angeles, on peut en acheter dans tous les centres commerciaux, souffla Buffy.

Angel jeta un coup d'œil par la fenêtre.

— Plus que dix minutes avant le coucher du soleil, constata Buffy. Quand on est la Tueuse, on peut faire beaucoup de choses en dix minutes.

— Vas-y. Je te rejoindrai quand la nuit sera tombée.

Buffy se dressa sur la pointe des pieds pour l'embrasser, puis détourna le regard pour ne pas qu'il lise son inquiétude dans ses yeux.

— À tout de suite.

— Je me dépêcherai, promit Angel.

Buffy se précipita dans le couloir et dévala l'escalier. Lorsqu'elle monta dans la voiture de Cordélia, le ciel était rose sang à une extrémité, bleu foncé à l'autre.

Haletant, Giles entra dans la chambre d'hôpital au moment où Alex refermait la porte de la salle de bains.

— Que fais-tu debout ? lui demanda sévèrement le bibliothécaire.

Avant qu'Alex puisse répondre, il se tourna vers Cordélia.

— Buffy a-t-elle appelé ?

La jeune fille s'empourpra.

— Oups… Euh… non.

— Cordy m'a raconté que vous étiez parti chercher un autre bouquin, dit Alex en désignant du menton l'objet que tenait Giles.

— Hum ? Ah, oui, fit le bibliothécaire. Je suis content de te voir debout… Même si je te préférerais au lit.

— Le bouquin, insista Alex.

— Le… bouquin, répéta Giles comme si ces syllabes lui écorchaient la gorge. Eh bien, je crois que nous avons décroché le gros lot.

Alex se frotta les mains et s'assit sur le lit.

— Dans ce cas, maestro, nous vous écoutons.

Dans le Japon antique, les exécutions avaient lieu par strangulation ou immolation. En effet, l'idée de verser le sang répugnait aux Japonais.

Dès l'arrivée du bouddhisme, le seppuku *devint la méthode la plus prisée. Il consistait pour la victime à insérer volontairement un sabre dans son abdomen et à se trancher les boyaux, provoquant d'abondants saignements et une douleur inimaginable. Puis un bourreau lui coupait la tête pour lui éviter de souffrir trop longtemps. Les Japonais pensent que l'âme se loge dans l'abdomen. Être décapité sans avoir d'abord libéré sa propre âme serait un réel déshonneur.*

— Dieu nous en préserve, ricana Alex.

— Tais-toi, lui ordonna Cordélia. Continuez, Giles.

On jugeait possible d'emprisonner un esprit dans un objet inanimé… L'objet en question était alors considéré comme vivant.

Prenons l'exemple d'une cloche habitée par un esprit : on l'aurait décrite par les mots suzu ga imasu *plutôt que* suzu ga arimasu, imasu *étant l'équivalent de notre verbe être pour les individus et* arimasu *pour les choses.*

Les différentes versions de la légende de Sanno mentionnent que son épée était une chose vivante, ce qui nous laisse supposer qu'elle contenait un esprit. Ces récits font souvent allusion à du sang, notamment à celui versé par l'ennemi. Le récit de la bataille entre Sanno et le vampire chinois Chirayoju se termine généralement par cette phrase : « Alors le sang de Chirayoju coula, et il fut vaincu. »

— Si je comprends bien, en se coupant le doigt, Willow a libéré le vampire ! s'exclama Alex.

— On dirait, répondit Giles.

Le jeune homme se passa une main dans les cheveux.

— Quoi qu'il arrive, dit-il résolument, je ne laisserai personne plonger un pieu dans le cœur de Willow.

— Ce qui me laisse perplexe, continua le bibliothécaire, c'est le caractère unique de cette histoire. Si le démon a pu être extrait de l'épée, nous devrions pouvoir l'extraire aussi de Willow.

— Excellente idée, approuva Alex. Comment comptez-vous vous y prendre ?

Giles eut un sourire amer.

— Nous le saurons après que Cordélia et moi nous serons introduits dans le musée pour jeter un coup d'œil à cette arme.

Luttant contre la nausée qui le menaçait, Alex se releva.

— Cordy, cela m'ennuie de te demander une chose pareille, mais aide-moi à me rhabiller.

— Et cela m'ennuie de te répondre qu'il n'en est pas question. (Elle tendit la main à Giles.) Allons-y.

— Attendez une minute ! protesta Alex.

Giles secoua la tête.

— Je suis navré, tu dois rester ici le temps de te rétablir. (Il désigna le téléphone.) Et il faut que quelqu'un réponde à Buffy au cas où elle appellerait.

— Génial. Un boulot de standardiste, et je n'avais même pas postulé, grommela Alex. D'accord, allez-y, fit-il en prenant un air malheureux. Moi j'attendrai sagement comme un toutou.

— Parfait, répondit Giles distraitement.

Dès qu'il vit, par la fenêtre, Cordélia et Giles s'engouffrer dans la voiture du bibliothécaire, Alex repoussa sa couverture et se leva maladroitement. La chambre se mit à tourner, mais moins longtemps que la dernière fois. Le jeune homme en conclut qu'il était prêt à endosser de nouveau la cape de Robin : il quitta l'hôpital.

— Mon Dieu, quelle épave ! gémit Cordélia tout en feuilletant le livre de Claire Silver. Quand allez-vous investir dans une voiture digne de ce nom ?

— Cordélia, soupira Giles. Je sais que tu es obsédée par les apparences, mais…

— Attendez un peu, coupa la jeune fille. Il y a une feuille volante coincée dans la reliure. (Elle la parcourut du regard.) Écoutez ça !

17 juin 1820

Je viens d'apprendre quelque chose d'absolument fascinant ! J'ai reçu un parchemin en provenance du monastère bouddhiste du mont Hiei, qui relate certains événements en rapport avec l'épée de Sanno. Car cette arme existe et c'est là-bas qu'elle se trouve maintenant !

Après la disparition de Chirayoju et du Roi de la Montagne, l'empereur Kammu fit d'abord enfermer cet objet sacré (et hautement dangereux) dans le pavillon où résidait l'incarnation de son ancêtre Amaterasu no kami, *la déesse du Soleil. Mais après une longue période de troubles, il ordonna que la capitale de son empire soit transférée de Nara à Kyoto.*

Pendant l'exécution de cette tâche colossale, un tremblement de terre se produisit. L'empereur Kammu craignant qu'il ait été provoqué par l'épée l'envoya au monastère. Il fit promettre aux moines de veiller sur elle jusqu'à la fin des temps. Voilà ce qu'il leur écrivit.

« Je vous demande de faire tout votre possible pour maintenir la paix entre l'honorable seigneur Sanno et l'épouvantable démon chinois Chirayoju enfermé avec lui à l'intérieur de l'épée.

« Nous sommes les seuls à connaître son secret. Ainsi que nous en sommes convenus, nous ne le dévoilerons à personne d'autre. Car la colère du seigneur Sanno serait terrible, et aucun repentir ne se révélerait assez sincère

pour apaiser le courroux qu'il doit ressentir face aux mesures désespérées que je fus obligé de prendre. »

De cela, je conclus que l'empereur emprisonna Sanno à l'intérieur de sa propre épée.

— Ainsi, murmura Cordélia, pensive, cette arme abritait deux esprits… Lequel possède Willow ?

— Je l'ignore, avoua Giles, même si je penche plutôt pour Chirayoju. Nous y voilà.

Il s'arrêta sur le parking du musée.

— Mais… c'est Alex, là-bas !

Effectivement, le jeune homme descendait d'un véhicule. Sans doute avait-il fait du stop.

14

Tandis que Tsukuyomi, le dieu de la Lune, éclairait le paysage hivernal, l'armée démoniaque du seigneur Chirayoju marchait en silence vers le palais de l'empereur Kammu.

Des guetteurs firent irruption dans la salle de banquet pour avertir leur maître de l'attaque imminente. Tandis qu'ils se prosternaient devant l'empereur, attendant sa permission pour parler, la musique s'arrêta, et les regards de tous les convives se tournèrent vers eux.

Kammu aurait pu leur ordonner de se faire *seppuku* pour avoir osé interrompre les festivités. On n'imposait pas impunément sa présence à l'empereur. Mais l'attitude de ces hommes laissait penser à un grave danger, et Kammu préféra les écouter.

— Des légions de démons et de vampires… une horde de paysans en colère, Votre Magnificence, balbutia un des guetteurs. Leur chef est une créature hideuse à la peau couleur de jade qui semble flotter dans l'air.

La foule poussa des cris de stupeur. Quand l'empereur eut fini d'interroger ses guetteurs, Sanno se tourna vers lui et déclara :

— C'est le *tengu* chinois dont je vous ai parlé. Chirayoju a juré de boire votre sang, mais n'ayez crainte, puissant souverain : je vous protégerai.

La main posée sur la garde de son épée de cérémonie, Kammu inclina la tête en signe de remerciement.

— Vous pouvez mobiliser tous les soldats du palais, disposer de toutes les montures et de toutes les armes…

— Ma propre armée attend dans les collines, expliqua Sanno d'un air hautain, mais j'accepte tout de même votre offre, car aucun grand stratège ne saurait être trop prudent.

Il tapa dans ses mains : un vent glacial s'engouffra dans la salle de banquet. Il hurla un cri de bataille, puis tonna d'une voix puissante :

— Viens à moi ! Le moment est venu.

Le vent charria ses paroles à travers le palais, déchirant sur son passage les cloisons en papier de riz.

— Je vous serai très reconnaissant de rencontrer notre ennemi devant les portes du château, lui dit l'empereur. À l'intérieur, mes gens sont sans défense.

Sanno le foudroya du regard.

— Ne suis-je pas là pour vous protéger ? Voudriez-vous que mon armée s'expose inutilement et risque de faillir à sa mission ? Mes troupes occuperont le palais ; vos courtisans devront se débrouiller seuls.

— Dans ce cas, je combattrai au côté des miens, déclara Kammu, très digne, en se levant pour quitter l'estrade qu'il occupait avec son épouse. Je vais de ce pas revêtir mon armure.

Satisfait, Sanno hocha la tête. Il était bon que l'empereur prenne part à la bataille. De toute façon, sa haine de Chirayoju était si intense qu'il se moquait bien que Kammu périsse ou non. Et il n'avait que faire du déshonneur que la mort de l'empereur jetterait sur son nom. Tout ce qui lui importait, c'était de se débarrasser du vampire. Or, la vue de Kammu à la tête de ses troupes les inciterait à lutter plus courageusement.

Kammu ne se rendit pas directement à l'armurerie, mais au pavillon où reposait l'incarnation d'Amaterasu, la déesse du Soleil, une de ses ancêtres.

Vêtue d'une somptueuse robe de soie rose et écarlate, elle se tenait sur un piédestal, serrant dans sa main droite le miroir qui était son attribut royal. Kammu s'agenouilla devant elle.

— Ô Divine, je crains que Sanno ne soit pas venu pour protéger notre famille, mais pour prendre sa revanche sur le démon chinois qui nous menace. Au plus fort de la bataille, je redoute qu'il ne soit prêt à nous sacrifier si cela peut l'aider à tuer Chirayoju.

Un flot de lumière envahit le pavillon tandis qu'Amaterasu s'avançait vers l'empereur. Elle était si belle que Kammu avait du mal à lui faire face ; aussi garda-t-il la tête humblement baissée.

— Tu es un homme sage, approuva la déesse. Sanno ne reculera devant rien pour assouvir sa vengeance. Si un membre de notre famille se dresse entre lui et le démon, il n'hésitera pas à le piétiner. Mon frère Tsukuyomi m'a dit que le cœur de Sanno a connu un changement irréversible. Même s'il réussit à le vaincre, sa rage demeurera après la mort du seigneur Chirayoju. Il ne connaîtra jamais le repos car on lui a arraché sa bien-aimée, Gemmyo du clan Fujiwara. Sanno détruira le palais et tout le royaume du Japon.

— Ô Divine, indiquez-moi comment arrêter à la fois Sanno et Chirayoju, supplia-t-il.

— Il existe un moyen, dit Amaterasu, mais les rituels que je te dévoilerai doivent être exécutés avec une grande précision. Ce sera très difficile, au milieu du chaos qui régnera bientôt ici.

— Je ferai de mon mieux, lui assura Kammu.

— Sanno porte-t-il un objet qu'il vénère ? s'enquit la déesse.

— Son épée ! déclara vivement l'empereur.

— Parfait. Nous ne pouvions espérer mieux.

Amaterasu baissa la tête ; une larme dorée roula le long de sa joue.

— Mais si tu échoues, dit-elle, tu connaîtras une mort infiniment douloureuse et humiliante. Jamais tu ne rejoindras nos ancêtres, et le monde que tu as connu disparaîtra.

Kammu soupira.

— Si je n'agis pas, c'est ce qui se produira sûrement.

Amaterasu acquiesça en silence. Ses larmes de feu coulèrent sur le *tatami* et l'embrasèrent. Car les dieux japonais aimaient l'empereur et sa famille.

À minuit, l'armée de Chirayoju attaqua le palais avec une férocité inouïe.

Les hommes de l'empereur, de fiers guerriers, n'avaient jamais combattu d'adversaires aussi terrifiants. Mais ils luttèrent bravement.

Quant aux soldats de Sanno, ils se jetèrent dans la mêlée sans craindre la mort.

Les uns après les autres, les défenseurs succombaient sous les coups des envahisseurs. Pourtant, l'espoir subsistait.

Les *kappa* assoiffés de sang trébuchèrent sur les cordes que Sanno avait fait tendre à ras du sol, renversant l'eau magique contenue dans leur tête en forme de bol. Les paysans tombèrent comme des mouches sous les flèches des archers.

Les vampires *eta* se transformaient en poussière aussitôt qu'on leur plongeait un pieu dans le cœur. Quant aux *oni*, ils ne faisaient aucune différence entre leurs ennemis et leurs propres rangs. Seul leur chef semblait intouchable. Avec son visage couvert de moisissure verte et ses mains griffues, il offrait un spectacle terrifiant tandis que, flottant dans les airs, il jetait des boules de feu dans la cour du palais.

Sanno lui répondait à grand renfort de tourbillons de vent glacé. Chaque fois qu'il tapait du pied, la terre tremblait si fort que les arbres se déracinaient. Des cascades jaillissaient et des dragons menaçaient de s'échapper des fissures…

Le palais commença à s'effondrer. Des poutres se brisèrent ; l'une d'elles écrasa la fille préférée de Kammu.

Désespéré, réalisant que les deux *kami* de puissance égale ne tarderaient pas à dévaster Nara, Kammu pria ses divins ancêtres.

Soudain, le ciel s'éclaircit et Amaterasu apparut.

— Chirayoju ! cria Sanno en désignant la chaîne de montagnes de la pointe de son épée. Le soleil se lèvera bientôt, entraînant ta mort. Finissons-en. Rends-toi, et tu seras ma seule victime. J'autoriserai tes fidèles à poursuivre leur misérable existence.

La proposition de Sanno confirma les craintes de Kammu. Il ne pouvait tolérer que les *oni*, les *kappa* et les vampires *eta* survivent pour se nourrir de ses sujets.

— Jamais ! hurla Chirayoju en jetant une colonne de flammes sur le palais.

Plus des deux tiers de la bâtisse s'embrasèrent. La seconde fille de Kammu fut brûlée vive dans ses appartements.

Alors, l'empereur se dressa sur sa selle et leva les mains.

— Seigneur Chirayoju, appela-t-il, le Roi de la Montagne a raison. Le ciel s'éclaircit déjà. Bientôt, vous et votre armée tomberez en poussière. Je suggère un duel entre vous, et je jure de vous offrir mon sang si vous en sortez vainqueur.

— Que faites-vous ? tonna Sanno, furieux.

L'empereur baissa la voix.

— Ma divine ancêtre m'a révélé des incantations qui vous permettront de tuer votre ennemi.

Il se garda bien de révéler qu'il connaissait également un moyen d'en finir avec Sanno.

Persuadé d'avoir un avantage décisif, Sanno agita sa bannière et cria à Chirayoju :

— Seigneur démon, tu es aussi puissant qu'immonde. J'ai promis à l'empereur Kammu de protéger les siens ; pourtant, ton armée est en train de les massacrer. Moi aussi, je jure de te laisser me détruire si tu sors vainqueur de ce duel.

Chirayoju eut l'air intrigué. Suspendu dans les airs au-dessus de ses fidèles, il jeta un regard vers l'horizon. Déjà, une lueur pourpre auréolait le sommet des montagnes. S'il n'en finissait pas très vite, il devrait battre en retraite, ce qui le laisserait vulnérable aux coups portés par Sanno et par l'empereur.

— J'accepte, déclara-t-il enfin. Je viendrai seul.

L'empereur avait enchanté l'épée de Sanno, il l'avait rendue encore plus puissante. À présent, si Sanno réussissait à percer le cœur de Chirayoju, il serait certain de vaincre son adversaire.

Le vampire regardait Sanno sans éprouver de crainte. Il salua son adversaire d'une courbette moqueuse en songeant : *Bientôt, cet imbécile mourra. Alors, je boirai le sang de l'empereur et j'aspirerai son esprit.*

Il dégaina son épée et se mit en position de combat.

Au-dessus d'eux, sur les remparts, Kammu avait revêtu des habits blancs de deuil.

Un foulard sur lequel se détachait l'idéogramme *ki* — celui de la Force Vitale — lui ceignait le front, conformément aux instructions de la déesse. Il se tenait sur des *tatami* sacrés bénits par les prêtres.

Dans la cour, les deux créatures se ruèrent l'une vers l'autre, entrechoquant leurs épées avec fracas. Des étincelles jaillirent vers les cieux tels les chants funèbres des dragons antiques.

L'empereur avait posé sa propre épée à ses pieds. S'il échouait, il offrirait sa vie aux dieux pour les supplier de protéger son royaume. S'ouvrir l'abdomen serait atroce, mais le sang versé par ses entrailles serait le seul que goûterait Chirayoju. Kammu priait pour ne pas en arriver là. Il voulait que Sanno soit victorieux *et* trahi.

Car le Roi de la Montagne était devenu une entité aussi maléfique que celle qu'il combattait ; Amaterasu le lui avait assuré. C'était pour cela qu'elle lui avait révélé l'incantation permettant de lier les esprits de Sanno et de Chirayoju à l'intérieur de l'épée.

— Chirayoju ! hurla Sanno. Je t'offre une mort honorable. Suicide-toi avec ta lame et j'écrirai un poème mortuaire en ton honneur.

Le vampire ricana et s'éleva dans les airs.

— Si ta poésie est aussi remarquable que tes talents de guerrier, je me retournerai dans ma tombe en l'entendant.

À nouveau, ils chargèrent. Tandis que les deux adversaires croisaient le fer, une bourrasque souffla. La terre trembla sous leurs pieds. Autour de Kammu, le palais brûlait. À voix basse, recueilli, il récita un *haiku* de sa composition.

Pleurez maintenant, terre, air, feu
Des larmes pour les enfants de Kammu
L'eau, quatrième âme du monde.

Il n'échouerait pas.

Il réunirait Sanno et Chirayoju ou il en mourrait.

15

Giles et Alex regardèrent Cordélia se diriger vers l'entrée du musée. Elle leur jetait des regards inquiets par-dessus son épaule. De la main, ils lui firent signe de continuer. La jeune fille prit une inspiration et cogna sur le battant en criant fort. Leur plan consistait à attirer l'attention du veilleur de nuit, mais pas du personnel de sécurité qui montait la garde dans les bâtiments voisins.

— À l'aide ! sanglota Cordélia. Je vous en prie, aidez-moi !

— Pour une fille qui s'est trouvée en danger de mort à plusieurs reprises, je la trouve étonnamment peu convaincante, murmura Giles.

Alex grimaça.

— Oui, elle ne sait pas mentir.

Quelqu'un tira un verrou. La porte s'ouvrit et le garde apparut sur le seuil. C'était un petit homme grassouillet, vêtu d'un uniforme bleu nuit. Il tenait une matraque.

— Que se passe-t-il, mademoiselle ? demanda-t-il, inquiet.

— Ô mon Dieu, aidez-moi ! Ils arrivent ! gémit Cordélia en se jetant sur lui comme une cliente sur une nuisette un jour de soldes chez Gap. Je vous en supplie ! Deux hommes me poursuivent. Par pitié, aidez-moi !

— Ça ne marchera jamais, chuchota Alex. J'ai vu de meilleures actrices dans des séries télé qui n'ont pas tenu une semaine à l'écran.

— Cordélia n'a peut-être aucun talent, mais elle semble obtenir le résultat désiré, dit Giles.

Le veilleur de nuit tapotait l'épaule de la jeune fille, comme pour la rassurer.

— Où sont ces affreux bonshommes ? demanda-t-il en brandissant sa matraque d'un air qui se voulait menaçant.

— Par là... gémit la jeune fille en désignant la rangée d'arbres qui bordait le parking, à l'opposé du lieu où se cachaient Giles et Alex.

Le jeune homme leva les yeux au ciel. Ce type allait sûrement se demander ce que faisait Cordy toute seule dans la rue à une heure pareille...

— Ne vous inquiétez pas, mademoiselle, la réconforta-t-il. Entrez dans le musée et appelez la police pendant que j'inspecte les environs. En attendant mon retour, enfermez-vous. Ne laissez passer personne d'autre que le vieil Eddie... C'est mon nom, ajouta-t-il en grimaçant.

Cordélia balbutia un remerciement et laissa le veilleur de nuit la pousser. Alex l'entendit verrouiller la porte derrière elle et regarda Eddie traverser la pelouse. Une fois l'homme disparu, ils s'avancèrent à pas de loup vers l'entrée.

Cordélia leur ouvrit et ils se glissèrent à l'intérieur du bâtiment.

— Ça nous laisse à peu près trois minutes, déclara la jeune fille.

— Que ferons-nous quand ce type reviendra ? demanda Alex.

— Oh, euh... Cordélia n'aura qu'à faire comme si elle avait trop peur pour lui ouvrir. (Le bibliothécaire se tourna vers la jeune fille.) Tu lui demanderas d'attendre dehors jusqu'à l'arrivée de la police.

— C'est ça, votre plan : me faire passer pour une pleurnicheuse et une trouillarde ? siffla Cordélia.

— Plus ou moins, fit-il, laconique.

— Je le trouve très mauvais, ce plan, dit Alex.

La jeune fille jeta au garçon un regard presque amical.

— Non que tu sois incapable de passer pour une pleurnicheuse et une trouillarde, se hâta de rectifier Alex. Tu es très convaincante dans cet emploi.

— Si vous trouvez quelque chose de mieux, faites-moi signe, lâcha le bibliothécaire sèchement.

Puis il se dirigea vers les salles où se trouvait l'exposition japonaise.

Quelques instants plus tard, ils furent devant l'épée de Sanno.

— Fascinant... Regardez ça, dit-il en la désignant. C'est l'épée avec laquelle Willow s'est coupée, le *shin-ken* de Sanno. On dirait qu'il y a des caractères orientaux gravés sur la poignée.

Il plissa les yeux et se pencha pour mieux voir. Des liens de soie se croisaient sur la garde de l'arme, maintenant en place plusieurs disques métalliques.

— Tiens, marmonna Giles entre ses dents.

— Quoi donc ? s'enquit Alex.

— Tu vois ces liens de soie ? lui indiqua le bibliothécaire. Ils semblent à la fois retenir et exposer les disques métalliques.

— Ouais... Et je vois exactement la même chose sur toutes les autres armes ici présentes, grommela le jeune homme.

— Tout à fait, admit Giles. Mais les autres armes sont des *katana* ou des *wakisashi*, fabriquées à une époque ultérieure. Tiens, on dirait que les disques portent des marques similaires à celles gravées sur la garde.

— Je croyais que vous n'y connaissiez rien en histoire japonaise ? s'étonna le jeune homme.

— Pas grand-chose, c'est vrai... admit le bibliothécaire. Mais j'ai déjà visité cette exposition. Comme toi, si mes souvenirs sont exacts.

Alex haussa les épaules.

— Et puis, je viens de finir la lecture du journal de Claire Silver. En réalité, c'est Cordélia qui a fait la découverte la plus intéressante pendant notre trajet en voiture. Il semble que Sanno, le Roi de la Montagne, ait également été emprisonné à l'intérieur de l'épée.

— Vous plaisantez ? s'exclama Alex en écarquillant les yeux. Il y est encore ?

— Je n'en suis pas sûr, mais je le pense, acquiesça Giles. L'incantation qui a lié Sanno et Chirayoju ne devait pas être très puissante, sans quoi Willow n'aurait pas réussi à libérer l'un d'eux en se coupant simplement le doigt. Son sang a dû agir comme un catalyseur... De plus, elle se trouvait dans un état d'esprit particulièrement vulnérable. Mais je ne comprends pas comment a pu être réalisé cet enchantement...

— Regardez ! dit Alex en se rapprochant de l'épée. On dirait qu'il manque un des disques. Là.

Giles sursauta.

— Merci, Alex. Tu viens de répondre à ma question, murmura-t-il.

Le jeune homme cligna des yeux.

— Vraiment ?

— À présent, je dois trouver un moyen de chasser cet esprit du corps de Willow et de le lier à l'épée. Il faut donc l'attirer ici.

— Je suggère plutôt que nous emportions l'épée.

— Non, attends !

Trop tard. Alex avait déjà refermé ses doigts sur la poignée. Il souleva l'arme.

— Nous... commença-t-il.

Il se tut brusquement et son sourire s'évanouit. Ses yeux se plissèrent, ses narines frémirent, et sa poitrine se gonfla. Puis il prit la parole.

— Enfin libre !

Mais ce n'était pas du tout la voix d'Alex. On aurait dit l'écho du tonnerre.

— Hum. (Giles se racla nerveusement la gorge.) Sanno, je présume ?

— Je suis Sanno, Roi de la Montagne, dit l'esprit qui habitait le corps d'Alex. Où est le *tengu* ?

— Je n'en suis pas certain, balbutia Giles, mais vous devez savoir que…

— Je peux le sentir, coupa Sanno. Je vais le détruire une bonne fois pour toutes.

Il se dirigea vers la sortie de secours du musée, à l'opposé de la porte d'entrée où Cordélia s'efforçait de retenir Eddie. Choqué par la transformation d'Alex, Giles n'avait pas entendu revenir le veilleur de nuit.

— Changement de plan, Cordélia ! cria-t-il en mettant ses mains en porte-voix. Il faut y aller ! Vite !

Un bruit de pas précipités dans le couloir. Haletante, la jeune fille fit irruption dans la salle.

— Il était temps… commença-t-elle.

Bouche bée, elle regarda Alex foncer vers la sortie de secours, la lourde épée en main.

— La guerre éternelle prend fin ce soir ! rugit Sanno en sortant.

Une kyrielle d'alarmes se déclenchèrent.

— Nous devons nous dépêcher, dit Giles en se hâtant. Nous ignorons où se trouve Willow, il ne faut pas perdre Alex de vue…

— Facile à dire : vous n'avez pas de talons ! cria Cordélia derrière lui.

La jeune fille sautilla sur une jambe, essayant d'ôter un de ses escarpins.

— Cordélia ! appela Giles, exaspéré.

— Une seconde, j'enlève mes chaussures, répliqua la jeune fille sans quitter du regard la silhouette d'Alex. Que lui est-il arrivé ?

— Je crois qu'il est possédé par l'esprit de Sanno.

Cordélia fronça les sourcils.

— Dans ce cas, pourquoi parle-t-il anglais ? fit-elle, pleine de bon sens.

— Je suppose qu'il peut accéder à toutes les connaissances d'Alex, y compris au langage, expliqua Giles. C'est tout à fait fascinant.

— Je trouve aussi, lâcha Cordélia, sarcastique, en ôtant son second escarpin. Et comment se fait-il qu'il soit possédé ?

— Je t'expliquerai plus tard. Nous devons nous dépêcher !

— Ça va, ça va, j'arrive.

Un vent froid les enveloppa et les poussa en avant. Quelques mètres plus loin, Alex se retourna vers eux et leur sourit.

— Je me suis dit qu'il fallait vous aider un peu, pour que vous assistiez à la destruction du vampire. Il ne sait pas encore que je me suis libéré, mais quand il le découvrira…

— Que vous *vous* êtes libéré ? s'indigna Cordélia. Excusez-moi, monsieur Santo, mais c'est mon petit a... c'est Alex Harris qui vous a sorti de là !

— Je m'appelle Sanno ! cria la silhouette en levant les bras. Je suis le Roi de la Montagne ! Le protecteur de l'empire du Soleil-Levant !

— Eh bien, ici, vous êtes à Sunnydale ! répliqua la jeune fille, et les choses ne se passent pas de la même façon. Nous avons déjà quelqu'un qui tue les vampires. Alors, vous pouvez rentrer chez vous.

— Silence ! tonna Sanno. *Baka no onna !*

Tout à coup, une bourrasque jeta Cordélia à terre. Giles s'agenouilla, soudain inspiré.

— Grand seigneur de guerre, *gomenasai*... Pardonnez à cette femelle : elle est jeune et encore ignorante, dit-il poliment. Elle s'inquiète pour le garçon dont vous occupez le corps, car elle sait ce qui va suivre... Excuse-toi, murmura-t-il à Cordélia.

— Je suis... désolée, couina la jeune fille.

— Très bien, acquiesça Sanno.

Le vent retomba aussitôt. Cordélia remit un semblant d'ordre dans ses cheveux. Lorsqu'elle fut certaine que l'orage était passé, elle se releva maladroitement. Elle semblait épuisée.

— Merci, marmonna-t-elle.

Sanno se détourna et s'éloigna. Cordélia se précipita vers Giles.

— Ce qui va suivre ? répéta-t-elle. Je ne sais pas du tout ce qui va suivre. Et vous ?

Giles désigna la silhouette.

— Hélas… Je crains qu'il n'aille à la rencontre de Chirayoju.

— Mais, c'est… Willow, souffla-t-elle.

Giles soupira.

— Précisément.

— Vous voulez dire qu'Alex et Willow vont se battre ?

— Entre autres choses, acquiesça Giles. Je suppose qu'ils feront aussi appel à la magie. (Il prit la jeune fille par le poignet.) Viens. Nous devons le suivre.

— De la magie, geignit Cordélia en trébuchant derrière lui. Pourquoi faut-il toujours qu'il y ait de la magie ? Et comment connaîtrons-nous le gagnant ?

Le bibliothécaire ne répondit pas.

— Giles, insista Cordélia. Je vous ai posé une question.

Il s'arrêta et lui jeta un regard plein de tristesse.

— Quand l'autre aura perdu, lâcha-t-il brièvement. (Il prit une inspiration.) Autrement dit, quand un des deux sera mort.

16

Le soleil disparaissait à l'horizon. Tout était silencieux ; on n'entendait même pas le chant des criquets. Postée sur la butte qui surplombait le Jardin d'Amitié, dans la lumière grise du crépuscule, Buffy observait les arbres squelettiques et les vieux ponts.

Elle alluma sa lampe torche. Le rayon jaunâtre balaya des lanternes de pierre et plusieurs temples miniatures peints en rouge : *des pagodes*, se souvint la jeune fille. Dans le fond se dressait un large bâtiment de bois sombre au toit de tuiles incurvé.

Buffy aperçut une silhouette familière sortir du bâtiment. Willow, vêtue d'une tunique chinoise. Un plastron métallique recouvrait le vêtement. La jeune fille tenait une lance, à moins que ce ne fût une longue épée. Après avoir promené son regard sur le jardin, apparemment sans remarquer Buffy, elle entra dans l'édifice.

À l'intérieur, la flamme d'une bougie vacilla.

Buffy se dirigea vers l'escalier de pierre conduisant au jardin et le traversa. Soudain, elle crut entendre quelqu'un pleurer. Elle pressa le pas et se rapprocha de la pagode. Les sanglots venaient de l'intérieur.

Ça ne pouvait être que Willow… Elle monta prudemment jusqu'au porche, et jeta un coup d'œil par la porte entrouverte.

Au centre de la pièce nue, assise sur un coussin de soie écarlate, Willow observait la lame posée devant elle. Son petit visage était baigné de larmes. Sur le sol, dans un chandelier rouge, une grosse bougie couleur de jade éclairait un *katana*, le sabre japonais traditionnel.

Brusquement, Willow saisit l'arme et la pointa vers son cœur.

— Willow, non ! cria Buffy en se précipitant.

Willow leva la tête. D'un mouvement vif, elle dirigea son arme vers Buffy.

— Ce n'est que toi… soupira-t-elle.

Elle dévisagea avec hostilité celle qui était censée être sa meilleure amie.

— Comment ça, ce n'est que moi ? répéta la jeune fille, étonnée.

— Je pensais que ce serait… quelqu'un d'autre, répondit Willow.

— Qui attends-tu ? s'enquit Buffy en glissant discrètement la main dans son sac de Tueuse. Un livreur de pizzas ? Le type du câble ?

Willow fit la moue. Puis elle eut un sourire cruel et désigna un deuxième coussin, en face d'elle.

— Par le passé, ton humour m'amusait… Assieds-toi pour attendre avec moi le coucher du soleil.

Maintenant qu'elle avait trouvé Willow, et que la nuit était sur le point de tomber, Buffy ne savait plus quoi faire.

Le sourire de son amie s'élargit.

— Je savais que tu viendrais. (Elle gloussa.) J'avais humé ton sang. J'ai hâte d'y goûter.

— Willow… Il t'est arrivé quelque chose de terrible. Laisse-moi te conduire à Giles pour qu'il te soigne, supplia Buffy.

Son amie leva le menton.

— Je ne suis pas malade. Et de toute façon, il est trop tard.

Un instant, ses lèvres tremblèrent, et elle tendit ses deux mains vers Buffy.

— Arrête-le, gémit-elle. Je t'en prie, arrête-moi.

Puis elle s'écroula. Le soleil venait de se coucher. Les ténèbres se refermèrent sur le jardin.

Buffy s'élança vers Willow. Elle empoigna le sabre et, d'un geste vif, le brisa sur son genou.

— Ce n'est pas cette arme que tu devrais redouter, déclara Willow d'une voix grave.

— Que devrais-je donc redouter ?

— Moi, dit Willow en se relevant lentement.

Buffy cligna des yeux. Elle vit un autre visage se substituer à celui de son amie. Un visage de jade phosphorescent aux lèvres écarlates et aux yeux noirs qui la fixaient intensément.

Un éclat de rire sonore se répercuta dans la pièce. Buffy demeura immobile.

— Moi, répéta Willow.

Elle frappa dans ses mains.

Une demi-douzaine de vampires entrèrent par les fenêtres et se ruèrent sur Buffy. La jeune fille se mit en position de combat. Elle décocha un coup de pied au mort vivant le plus proche et fouilla hâtivement dans son sac à la recherche d'un pieu. Maudissant son imprudence, elle sentit une autre créature la saisir par-derrière. Elle se pencha en avant et la projeta au sol. Puis elle lui plongea son pieu dans le cœur.

Une femelle vampire aux cheveux rouge vif bondit sur elle en découvrant les crocs. Un autre mort vivant plongea au sol et lui enlaça les genoux avec ses bras.

Un instant, ils crurent l'avoir coincée.

De la paume de la main, Buffy poussa la tête de la fille en arrière avant de lui enfoncer son pieu dans le cœur. Dès que la vampire eut disparu, elle régla son compte à celui qui lui tenait les jambes.

Les créatures continuaient à envahir la pièce. Il en venait de partout. Buffy commençait à fatiguer.

Assise sur son coussin, Willow l'observait en souriant. Buffy se tourna vers elle et tendit une main suppliante.

— Will, tu peux les arrêter, souffla-t-elle, haletante. Ils t'écouteront. Ils ont peur de toi.

Willow baissa la tête ; Buffy crut qu'elle était en train de lutter contre le monstre qui la possédait. Mais son amie éclata de rire. Elle ouvrit les bras, et le masque grotesque de Chirayoju apparut.

— Ils me craignent et ils ont raison, dit le démon. Toi aussi, Tueuse, tu devrais avoir peur.

Chirayoju claqua des doigts. Les vampires lâchèrent la jeune fille et reculèrent respectueusement, se massant le long des murs comme les spectateurs d'un match de lutte.

— Tu es fatiguée, dit le démon d'une voix chantante. Très fatiguée.

Les paupières de Buffy se firent lourdes. Ses jambes tremblèrent ; ses genoux menacèrent de se dérober.

— Les battements de ton cœur ralentissent. Ton sang se fige dans tes veines.

Buffy s'effondra.

Les bras en croix, Willow s'éleva dans les airs. Des éclairs jaillirent de ses doigts et vinrent se planter dans le sol autour de Buffy, mettant le feu au plancher.

Les autres vampires échangèrent des regards inquiets.

— Je suis le vampire-sorcier Chirayoju, rugit Willow. J'ai enfin échappé à ma prison. Dès que tu ne seras plus une menace pour moi, je régnerai sur cet endroit.

— Sur Sunnydale ? murmura Buffy.

De grosses gouttes de sueur coulaient sur son visage et le long de sa nuque. Soudain, elle réalisa que la chaleur des flammes l'avait arrachée à l'attraction hypnotique de la voix du démon.

— Avec tous les effets spéciaux dont tu disposes, tu pourrais faire beaucoup mieux, lâcha-t-elle d'une voix méprisante. Conquérir Sunnydale... Pas de quoi se vanter, crois-moi.

— Silence ! tonna Chirayoju.

Il se laissa tomber du plafond ; la jeune fille écarquilla des yeux horrifiés. Il plongeait dans les flammes !

— Willow, non !

Le corps de son amie continua à descendre.

Buffy chercha du regard une ouverture dans la barrière de feu. Sur sa gauche, elle repéra un endroit où celui-ci lui arrivait à peine aux genoux. Elle bondit, sentant la chaleur lécher les semelles de ses bottes neuves.

Chirayoju atterrit à moins de deux mètres d'elle et lui décocha un coup de pied. Buffy esquiva, riposta et frémit en entendant le cri de douleur de Willow.

— Un dilemme intéressant, n'est-ce pas ? ricana le démon. Tu dois me vaincre, mais tu ne veux pas tuer ton amie. Tu es faible...

— Vraiment ? cracha Buffy en lui flanquant un coup de poing dans la figure. Et ça, c'est assez fort pour toi ?

— Tu te soucies trop d'elle, railla Chirayoju en revenant à l'attaque. Moi, je me moque de tout et de tous.

— Vous avez entendu ça, les gars ? lança Buffy à la cantonade. Il n'en a rien à faire de vous.

Elle jeta un rapide coup d'œil autour d'elle. Les autres vampires avaient disparu. Pas étonnant : le bâtiment était la proie des flammes qui s'élevaient maintenant jusqu'au plafond. D'un moment à l'autre, il allait s'effondrer.

En hurlant, Buffy se jeta sur Chirayoju pour le forcer à reculer dans un coin de la pièce. Si ça continuait comme ça, le corps de Willow n'allait pas tarder à être carbonisé. Deux poutres enflammées se détachèrent du plafond et vinrent s'écraser sur le sol derrière la Tueuse. Buffy se jeta sur Willow, la saisit par la taille et plongea avec elle à travers une fenêtre ouverte. Les deux adversaires roulèrent dans l'herbe jaunie, soulevant un nuage de poussière. Puis Buffy repoussa Willow, se remit en position de combat... et réalisa que son sac était resté à l'intérieur du bâtiment.

Chirayoju dut le comprendre aussi, car il eut une grimace hideuse.

— C'est la fin, dit-il en avançant vers elle d'un pas mesuré, comme s'il savourait par avance sa victoire. Tu vas être mienne.

— Navrée, riposta Buffy, j'ai déjà un amoureux.

Elle plongea la main dans l'échancrure de son chemisier, tira sur la chaîne qu'elle portait autour du cou et brandit la croix qui y pendait sous le nez de Chirayoju.

Le démon lâcha un sifflement et s'arrêta net.

— Où as-tu trouvé ça ? cracha le vampire.

Buffy haussa les épaules. C'était la croix qu'Angel lui avait donnée lors de leur première rencontre.

— Quelle importance ?

— C'est à moi ! Rends-le-moi ! cria Chirayoju en serrant les poings.

— Comment ça, à toi ?

La jeune fille baissa les yeux. À côté de la croix se balançait le disque de métal que Willow avait fait tomber de l'épée de Sanno.

— Dans ce cas, viens le chercher.

Fou de rage, Chirayoju se jeta sur elle. Les griffes de la créature tentèrent de s'accrocher à son bras, déchirant la manche de son chemisier et laissant de longues marques sanglantes.

Buffy ne pouvait se résoudre à tuer Willow. La Tueuse savait maintenant qu'elle allait mourir. Puis, dans un éclair de lucidité, elle se souvint de quelque chose qui pouvait lui sauver la vie. La main de Willow... ou plutôt, son poignet. Après que Chirayoju eut possédé la jeune fille, sa fracture avait guéri miraculeusement. Buffy pouvait donc se défendre sans causer de dommages permanents à son amie.

— Très bien ! cria-t-elle. Fais de ton mieux, mais je te préviens : je taperai jusqu'à ce que tu en aies assez.

Chirayoju rugit et les mèches rousses de Willow volèrent derrière lui tandis qu'il attaquait avec la même férocité. Buffy avait du mal à regarder les traits immobiles et les prunelles vides de Willow ; aussi se concentra-t-elle sur le masque vert et grotesque qui s'accrochait à elle comme un déguisement d'Halloween.

— Puisque tu es branché vieilleries, dit-elle, la Tueuse va te botter l'arrière-train à la mode du siècle dernier.

— Imbécile ! cracha Chirayoju. Tu ne comprends pas les enjeux de cette bataille ! Jusqu'ici, je n'ai fait que te tester. Le corps que j'occupe m'a bien servi, mais il est trop faible. La Tueuse fera un hôte bien plus approprié pour ma grandeur.

— Je devrais prendre ça pour un compliment, dit Buffy.

Au moment où elle envoyait son pied dans la figure du démon, une bourrasque la souleva de terre comme un fétu de paille et la projeta quelques mètres plus loin. Buffy atterrit entre deux pagodes.

Chirayoju ne ressemblait à aucun des adversaires qu'elle avait combattus jusque-là... D'ordinaire, les vampires réagissaient comme des animaux, et ne s'interrogeaient pas sur l'identité ou les sentiments de leurs proies. Mais Chirayoju, lui, avait une intelligence et une lucidité terrifiantes. Il savait parfaitement quelles souffrances il infligeait à ses victimes ; pire encore, il s'en délectait. Le mal qui émanait de lui empêchait Buffy de se concentrer.

— Abandonne-toi, Tueuse, siffla le démon en bondissant au-dessus de la végétation desséchée.

Tandis que le démon lui sautait dessus, elle empoigna à deux mains le toit de ciment d'une des petites pagodes et le souleva pour se protéger. Chirayoju vint s'écraser dessus. Ou plutôt, le crâne de Willow. Le monstre s'affaissa sur le sol.

— Ô mon Dieu, Willow ! chuchota Buffy d'une voix rauque. Je suis désolée.

Elle se laissa tomber à genoux. Une main griffue la saisit alors par les cheveux et pressa son visage contre le sol, parmi les herbes mortes d'où s'élevait une odeur de pourriture.

— À présent, Tueuse, chuchota Chirayoju, ton corps va m'appartenir.

Buffy lui donna un coup de coude dans l'estomac et profita de la surprise de Chirayoju pour se dégager.

— Tu provoques ma fureur ! cracha le vampire-sorcier.

— Eh oui, dit Buffy en se relevant. Je suis une vilaine fille. Tu devrais en parler avec ma mère.

Le démon se releva et chargea. Soudain une ombre s'interposa entre eux. Des griffes sifflèrent dans l'air, déchirèrent la chair de Willow et la projetèrent en arrière.

Angel toisait Chirayoju, le visage déformé par un rictus de prédateur.

— Je t'interdis de la toucher, ordonna Angel. Moi, je n'aurai pas de scrupules à tuer le corps que tu habites.

Le soulagement de Buffy fondit d'un coup. Une lame de glace s'enfonça dans sa poitrine. Elle tendit une main pour retenir Angel qui, déjà, marchait sur le démon.

— Angel, haleta-t-elle. Non…

17

Giles sentait la nausée le gagner et Cordélia ne faisait vraiment rien pour arranger les choses.

— Giles, qu'allons-nous faire ? gémit-elle.

— Je suis désolé, Cordélia, soupira-t-il, je ne vois pas comment chasser les esprits qui ont pris possession d'Alex et de Willow. En suivant Sanno, j'espérais que nous réussirions à le faire parler, à découvrir un moyen de mettre fin à sa rivalité avec Chirayoju…

Cordélia observa la silhouette d'Alex qui les distançait peu à peu.

— Nous sommes en train de le perdre, constata-t-elle.

— Exact, acquiesça Giles, sinistre.

— Et vos bouquins ? Il doit bien y avoir quelque chose d'utile là-dedans.

— Des recherches risqueraient de nous prendre toute la nuit, répondit Giles. Et si Alex nous sème, nous ne saurons jamais où aura lieu la bataille finale.

Il jeta un regard morne à la silhouette qui disparaissait à l'horizon. Cordélia fronça les sourcils.

— Pourtant, rappelez-vous ce que vous avez dit au musée. S'ils se battent, ce sera sûrement dans le jardin japonais.

Giles tourna la tête vers l'endroit où Alex avait disparu. Oui, ça pouvait coller. Si son sens de l'orientation ne lui faisait pas défaut, l'esprit de Sanno se dirigeait effectivement vers le Jardin d'Amitié. Autrement dit, ils n'avaient pas besoin de le suivre. Tout ce que Giles avait appris sur le phénomène de possession lui revint brusquement à l'esprit. Ça valait peut-être le coup de tenter un exorcisme traditionnel…

— Je vois que vous réfléchissez, dit Cordélia, pleine d'espoir.

Giles fit demi-tour et reprit le chemin du musée.

— Une minute ! Où allez-vous ? protesta Cordélia.

— D'abord, chercher ma voiture. Ensuite, à la bibliothèque, répondit Giles. Dépêche-toi ! Je vais avoir besoin de ton aide.

— Et Alex ? demanda la jeune fille en jetant un coup d'œil par-dessus son épaule.

— De toute façon, nous l'avons perdu, décréta Giles.

Cordélia était beaucoup trop nerveuse pour rester assise à feuilleter de vieux ouvrages poussiéreux. Elle s'agita sur sa chaise.

— Je ne sais même pas épeler « exorcisme », geignit-elle.

— Regarde ! s'exclama Giles, très excité.

Il lui fit signe de le rejoindre tandis que le fax crachait ses feuilles de papier. D'un geste théâtral, il les prit et lut à voix haute :

— « Monsieur Giles, je suis navré d'apprendre quels ennuis vous rencontrez à Sunnydale. Je possède des fragments de l'Appendice 2a du grimoire de Claire Silver, une édition révisée, postérieure à la vôtre. Pages 32 à 34 seulement.

« Claire Silver y décrit le sort de l'épée après le tremblement de terre de Kobé. À l'époque, les moines ont craint que les deux esprits ne s'en échappent. Ils ont ajouté de nouveaux enchantements, des disques métalliques, et l'arme a été confiée au musée de Tokyo.

« C'est tout ce que je sais, mais vous pouvez contacter Heinrich Meyer-Dinkmann à Francfort, et consulter Kobo si ce n'est pas déjà fait. Sincères salutations, Henri Tourneur. »

— Donc, les disques sont bien là pour retenir les esprits, résuma Cordélia. Enfin, ils y étaient…

— Continue à chercher, dit Giles en désignant la pile de livres qu'il avait posés sur la table. Pendant ce temps, je vais essayer de contacter Meyer-Dinkmann. Et c'est E-X-O-R-C-I-S-M-E ! Je te suggère de l'écrire pour ne pas l'oublier.

Cordélia secoua la tête.

— Giles… Ce que je voulais dire, c'est que je n'arrive pas à me concentrer.

— Il le faut, insista gentiment Giles. C'est tout ce que nous pouvons faire pour aider Alex et les autres.

— Alors, ils sont sacrément dans la panade, marmonna Cordélia.

Giles composa le numéro de son collègue.

— *Guten Tag, hier spricht Giles*, commença-t-il.

— *Herr Giles!* Quel plaisir!

— Alors? demanda la jeune fille à la fin de la conversation.

— Meyer-Dinkmann n'a pas pu mettre la main dessus, mais il a lu une plus grande partie de l'Appendice 2a qu'Henri Tourneur. Il semble qu'elle contenait une Incantation de Sanno, ainsi que les détails nécessaires pour emprisonner un esprit dans une arme.

— Oui, oui, dit la jeune fille, impatiente. Alors, où pouvons-nous trouver cette fameuse incantation?

— Selon Meyer-Dinkmann, elle circule sur le Net. Il nous aurait bien proposé de… télécharger… le fichier pour nous, mais son ordinateur est momentanément hors service.

Le visage de Cordélia s'illumina. Elle repoussa la pile de livres d'un geste méprisant.

— Génial! Allons-y.

Les épaules de Giles s'affaissèrent.

— Le problème, c'est que je n'ai pas la moindre idée de la façon dont il faut s'y prendre. Nous avons besoin de Willow.

À eux deux, Angel et Buffy étaient parvenus à projeter Chirayoju par-dessus les branches d'un cerisier mort.

— Nous ne pouvons pas continuer ainsi, murmura Angel. Nous devons l'achever. (Il saisit Buffy par les épaules et planta son regard dans le sien.) Il faut tuer Willow.

La jeune fille secoua la tête.

— Pas question ! Chirayoju ne m'a pas encore carbonisée parce qu'il espère s'emparer de mon corps. Il n'aura pas tant de scrupules avec toi. Je ne peux pas le tuer, il ne peut pas me tuer. Nous sommes dans une impasse. Pourquoi Giles n'est-il jamais là quand j'ai besoin de ses conseils ?

— Chirayoju n'a pas envie de te tuer ; ça ne veut pas dire qu'il ne le fera pas si c'est la seule solution.

Le démon se releva et chassa la terre de sa robe de soie avec une moue dégoûtée. Son bras droit formait un angle bizarre, et il boitait légèrement.

Angel le regarda se mettre en position d'attaque. Willow était en piteux état ; il savait que Buffy ne supportait pas de voir souffrir son amie. Mais il était prêt à faire le nécessaire — y compris détruire Willow — pour que Buffy s'en sorte vivante.

— Tu sais que nous n'avons pas le choix. *Mon amour*, ajouta-t-il en silence.

Il aurait tellement voulu pouvoir soulager Buffy de sa mission, ne fût-ce que cinq minutes. Mais ça ne servirait à rien. La jeune fille était l'Élue ; elle ne pouvait pas se dérober.

— Si tu ne veux pas le faire, c'est moi qui m'en chargerai, reprit-il.

— Non !

À cet instant, Chirayoju s'éleva dans les airs ; deux boules de feu fusèrent de ses poings fermés. Buffy et Angel bondirent dans des directions opposées, tandis que les projectiles explosaient à l'endroit où ils se tenaient une seconde plus tôt.

Les broussailles s'embrasèrent.

— Peut-être qu'il ne tient pas tant que ça à récupérer mon corps, murmura Buffy, ébranlée.

Elle fronça les sourcils comme si elle venait de réaliser quelque chose.

— Comment se fait-il que tu sois arrivé si tard, au fait ?

Chirayoju leur lança une autre série de boules de feu ; ensemble, ils roulèrent sur le sol pour esquiver les projectiles.

— Ne me dis pas que la disparition des petits copains de Chirayoju t'a échappé, haleta Angel.

— Tu parles d'une excuse ! riposta Buffy en se relevant. Tu t'es sans doute mis en retard en allant chercher des cigarettes.

— Allons, tu sais bien que j'ai arrêté de fumer, dit Angel. Je ne voudrais pas mourir d'un cancer du poumon... Attention !

Chirayoju se laissait tomber sur Buffy.

— Si tu refuses de me céder ton enveloppe charnelle, tu mourras ! Tueuse !

Buffy prit son élan, sauta, et lui décocha un double coup de pied, puis effectua un saut périlleux pour que le corps de Willow ne lui tombe pas dessus.

— Ça répond à ta question, mon vieux Chichi? le provoqua-t-elle.

Elle réussit à le frapper une nouvelle fois avant qu'Angel ne le saisisse par les épaules pour lui écraser son poing sur la figure. Un cri de douleur s'échappa de la bouche de Willow.

— Je t'en supplie, gémit la jeune fille de sa voix normale.

— Arrête! cria Buffy, bouleversée.

— Il joue la comédie, expliqua Angel. Il essaie de te manipuler. Ne l'écoute pas.

— Je laisse la fille sentir la douleur, déclara Chirayoju. Crois-moi, Tueuse, ça lui fait très mal. Plus que tu ne peux l'imaginer. Plus qu'elle ne l'aurait imaginé… jusque-là.

Des larmes perlèrent aux coins des yeux de Buffy.

— Fais-lui encore du mal, balbutia-t-elle, et je… Je…

Chirayoju éclata de rire.

— Tu ne peux rien contre moi… Ou plutôt, si. (Il eut un sourire hideux.) Tu peux me céder ton corps!

La jeune fille secoua la tête.

— Navrée, j'ai une concession à perpétuité.

Chirayoju détourna la tête et regarda Angel.

— Tu es mon esclave, vampire, dit-il. Tu feras ce que je te dirai.

Buffy vit les traits de son petit ami se détendre et un voile passer devant son regard.

— Tu marcheras jusqu'au lever du soleil, ordonna Chirayoju. Alors, tu mourras.

— Non ! cria Buffy.

Le démon eut un sourire triomphant.

— Veux-tu vraiment que je tue tous tes amis ?

— Angel !

— Ne t'inquiète pas, la rassura le jeune homme. Tu n'es pas comme les autres filles, et je ne suis pas comme les autres vampires !

Angel se jeta sur Chirayoju et le saisit à la gorge. Découvrant les crocs, il s'apprêta à les lui plonger dans le cou.

— Je vais le laisser tuer Willow, dit tranquillement le démon.

— Arrêtez, tous les deux, s'écria Buffy. Je déclare forfait.

— Non, Buffy, protesta Angel.

— Si, corrigea tristement la jeune fille.

Elle se tourna vers Chirayoju.

— Tu veux mon corps ? Alors écoute ! Je veux quelque chose en échange. Je te le laisse si tu promets de ne pas faire de mal à Angel et à Willow.

Chirayoju réfléchit.

— Entendu, acquiesça-t-il. Je n'attaquerai ni le petit Saule Pleureur, ni le vampire que tu considères comme ton homme.

— Ne fais pas ça, Buffy ! la supplia Angel.

La jeune fille tourna le dos à Chirayoju. Elle porta discrètement une main à sa gorge et tira sur la croix pour arracher la chaîne qu'elle portait autour du cou.

Angel l'enlaça.

— Buffy, tu ignores ce que c'est que d'être submergé par le mal, chuchota-t-il. Moi, je le sais, et je ne peux pas te laisser faire.

— Je n'ai pas le choix, insista la jeune fille. S'il te plaît, aide-moi. (Du menton, elle désigna le disque de métal qui reposait dans sa paume.) Apparemment, Chirayoju a peur de ce truc-là. Willow l'a fait tomber de l'épée juste avant de se couper. Je pense que c'est ça qui a libéré son esprit.

La jeune fille mit la chaîne dans la main d'Angel. Une grimace de douleur tordit les traits du vampire. Buffy écarquilla les yeux en voyant une volute de fumée s'échapper de son poing.

— Oh, la croix, balbutia-t-elle. Je suis désolée.

— Pas grave, fit Angel, se forçant à sourire. J'ai connu pire.

— Apporte le disque à Giles : il saura quoi faire avec.

Elle leva vers lui un regard effrayé. C'était peut-être la dernière fois qu'elle se blottissait dans ses bras… Sans doute se disait-il la même chose, car il la serrait plus fort que jamais.

— Embrasse-moi, murmura-t-elle. Pour me souhaiter bonne chance.

— Je t'aime, dit simplement Angel.

Être possédée par le mal… Il ne devait pas exister de pire sort. Sauf *mourir* possédée par le mal.

La jeune fille se dégagea.

— Je suis prête, déclara-t-elle avec un air de défi.

Elle se tourna vers le démon, qui s'approcha et lui saisit la main. Son contact brûla Buffy comme celui de la croix avait brûlé Angel.

— Souviens-toi de ta promesse, dit-elle.

— M'infligeras-tu tes plaisanteries stupides jusqu'à la fin ? siffla Chirayoju.

— Buffy, ne fais pas ça ! supplia encore Angel.

Le vampire-sorcier prit la main de la jeune fille et la força à griffer la joue de Willow.

— Mon sang, expliqua-t-il en y frottant ses doigts.

— Pas le tien, corrigea Buffy : celui de…

Quelque chose lui coupa le souffle. Des hurlements de douleur l'enveloppèrent. La jeune fille entendit Willow crier :

— Buffy !

La Tueuse était au milieu d'un brasier qui la dévorait. Puis le silence s'abattit en même temps qu'un vent glacial. Tremblante, Buffy regarda autour d'elle. Les ténèbres s'étendaient dans toutes les directions. Elle voulut bouger, mais elle était paralysée.

Quelque part, au loin, une voix qu'elle avait bien connue tonitrua :

— J'ai gagné !

18

Angel plongea son regard dans celui de Buffy. Mais la jeune fille n'était plus là. Pourtant, par expérience, il savait que sa bien-aimée se trouvait toujours quelque part à l'intérieur de son corps… enfouie aussi profondément que le plus hideux des secrets.

— J'ai promis à la Tueuse de ne pas t'attaquer, cracha Chirayoju.

Jamais Angel n'avait rencontré de semblable vampire en deux siècles et demi d'existence. Chirayoju avait dû être un très grand sorcier. C'était la seule explication logique de son pouvoir.

— Laisse-la partir ! ordonna Angel, conscient qu'il devait aussi protéger Willow.

La Tueuse gisait à terre, vidée de son énergie.

Le démon sourit et, soudain, un visage vert, couvert de moisissure, apparut par-dessus les traits de Buffy.

Chirayoju venait de commettre une erreur fatale. Ce que Angel avait sous les yeux était la véritable apparence du démon. Il se transforma à son tour, découvrant les crocs, révélant le vampire tapi en lui.

— J'ai promis de ne pas t'attaquer, lui rappela Chirayoju, pas de me laisser faire si tu ouvrais les hostilités. Écarte-toi, Angélus… Oui, je connais ton nom : je l'ai lu dans l'esprit de la Tueuse. Écarte-toi si tu ne veux pas connaître la mort finale.

Angel ne tenait pas tant que ça à la vie, surtout s'il ne devait plus revoir Buffy.

Il ne bougea pas.

Soudain, le démon se figea. Son masque vert s'évanouit et Buffy écarquilla les yeux. Un instant, Angel crut qu'elle avait chassé Chirayoju de son corps, mais la voix qui sortit de sa bouche n'était pas la sienne.

— Je sens… quelque chose. C'est impossible… pas ici, protesta le démon.

Angel aussi sentait quelque chose : une présence écrasante et majestueuse. Il se retourna, prêt à se battre.

Puis il reconnut…

— … Alex ?

Une énorme épée à la main, le jeune homme traversait le jardin à grandes enjambées.

— Que fais-tu ici ? demanda Angel. Tu as tellement envie de mourir ?

Alex brandit son arme et se mit en position d'attaque. Son épée avait l'air très lourde ; pourtant, il la maniait comme s'il se fût agi d'un jouet en plastique.

Angel dévisagea le jeune homme et vit l'étrange sourire sur ses lèvres. Alors, il comprit. Ce n'était pas Alex. Qui avait pu prendre possession du jeune homme ?

— Chirayoju ! rugit l'esprit qui s'était emparé du corps d'Alex. Une fois de plus, tu souilles le sol sacré de l'empire du Soleil-Levant. Et comme jadis, tu tomberas sous les coups de mon épée ! Ainsi parle Sanno, le Roi de la Montagne.

— Petit dieu imbécile ! cracha Chirayoju. Tu n'es plus au Japon. L'herbe que tu foules a été plantée par tes compatriotes, mais ta nation et ta montagne se trouvent à l'autre bout du monde. Tu ne peux pas me vaincre sur cette terre ! J'ai trouvé refuge dans la chair d'une Tueuse !

Chirayoju éclata d'un rire cruel.

— Le moment est venu pour toi de disparaître à jamais de la surface du monde !

Les deux adversaires adoptèrent une position de combat et tournèrent l'un autour de l'autre, chacun cherchant une ouverture.

Étreignant le disque de métal que lui avait remis Buffy, Angel était en proie à un horrible dilemme. S'il aidait Alex, sa petite amie risquait de se faire tuer, et vice-versa.

Le visage de Chirayoju changea de nouveau. Un instant, l'étincelle de la vie revint dans les yeux de Buffy.

— Alex ! cria la jeune fille avec sa voix normale. Non !

Chirayoju reprit le dessus. Mais cette fraction de seconde avait suffi à Angel pour comprendre que

Buffy luttait de toute son âme contre le démon qui la possédait. Et quand la Tueuse se battait, elle finissait toujours par gagner. C'est pour ça qu'elle était l'Élue.

Angel sentit renaître l'espoir au fond de son cœur mort depuis si longtemps. Peut-être était-il possible d'empêcher Buffy et Alex de s'entre-tuer?

— Vas-y, Buffy! cria-t-il. Repousse-le! Reprends le contrôle! Je sais que tu en es capable!

Des boules de feu jaillirent des mains du démon et volèrent vers Alex. Mais l'esprit qui habitait le jeune homme brandit son épée; la lame monstrueuse sembla absorber le feu.

Sanno avança, son arme devant lui.

Angel bondit soudain pour s'interposer entre les deux adversaires. Son regard passa de l'un à l'autre.

— Arrêtez, ordonna-t-il. Cette bataille ne sert à rien!

— Écarte-toi, gamin! cria Chirayoju.

Angel allait protester quand une langue de flammes lui lécha le dos. Paralysé par la douleur, il réalisa que Sanno venait de l'attaquer.

Chirayoju, qui ne voulait pas être en reste, fit s'abattre une pluie incandescente sur le vampire.

Angel se laissa tomber à terre et se roula dans l'herbe jaunie pour éteindre le feu qui le consumait. Hurlant de douleur, il leva les yeux vers Alex. L'esprit qui possédait le jeune homme se délectait visiblement de sa propre puissance et de la souffrance du vampire.

Si Sanno était censé représenter le bien, par opposition au mal qu'incarnait Chirayoju, il ne valait guère mieux que son adversaire.

Autour d'Angel, le vent continuait à soulever un nuage de poussière et d'herbe séchée. Plissant les yeux, les dents serrées pour lutter contre la douleur, le vampire se releva. Alors, par-dessus le hurlement du vent, il entendit quelqu'un crier son nom.

— Angel ! appela de nouveau Willow, désespérée.

La jeune fille ne comprenait pas ce qui se passait autour d'elle. Elle se sentait épuisée. La seule chose dont elle se souvenait, c'était d'avoir été possédée par un esprit maléfique.

Angel la rejoignit. Il lui passa un bras autour de la taille et, la soulevant à moitié, l'entraîna à l'écart.

— Tu vas bien ? demanda Angel.

— Je suis en vie, soupira enfin la jeune fille. Ce n'est déjà pas si mal.

— Te rappelles-tu comment tu es arrivée là ? s'enquit le vampire.

Willow hocha tristement la tête.

— Eh bien, expliqua Angel, il vient de se produire la même chose avec Alex. Le grand ennemi du vampire chinois, celui qui l'a vaincu la première fois, a pris le contrôle de son corps.

Un frisson parcourut Willow des pieds à la tête. Tout ça était entièrement sa faute. Si elle n'avait pas été obsédée par l'idée de ressembler à Buffy... Jamais elle n'aurait dû toucher cette épée !

— Ils vont s'entre-tuer, dit Willow.

— Te souviens-tu des pensées de Chirayoju ? cria Angel pour se faire entendre malgré le rugissement du vent. Vois-tu un moyen de les arrêter ?

La jeune fille secoua la tête, au bord de la panique.

— Non... Mais je sais ce qu'il y a à l'intérieur de toi ! Angélus est assez vicieux pour les arrêter. Personne d'autre ne le peut !

Le vampire baissa la tête ; la jeune fille éclata en sanglots.

— Je ne suis plus Angélus, dit-il presque à regret. Et si je l'étais, je les tuerais tous les deux, et c'est précisément ce que nous voulons éviter, n'est-ce pas ?

— Alors, que fait-on ? On les regarde se massacrer ?

— Je pourrais peut-être changer l'issue du combat, voire maîtriser l'un des deux... Mais ça ne suffirait pas. Le Roi de la Montagne s'arrêtera quand Buffy sera morte, et même si je l'empêche de la tuer, il restera toujours Chirayoju...

— Si c'est Sanno qui gagne, peut-être s'en ira-t-il, dit Willow. Mais si c'est Chirayoju, je ne crois pas qu'il s'en tiendra là.

— Dans ce cas, dit-il d'une voix blanche, je devrai tuer la seule personne que j'aime au monde.

Sous leurs yeux, les deux adversaires redoublaient de fureur. Ils semblaient de force égale, mais cette fois, leur lutte ancestrale n'aurait qu'un seul vainqueur.

Quand la lame de Sanno manqua de très peu la tête de Buffy, Angel saisit la main de Willow et y glissa un petit objet.

— Va porter ça à Giles, ordonna-t-il.

Willow observa le disque de métal en fronçant les sourcils, puis elle leva les yeux vers Angel.

— Et toi, que vas-tu faire ?

Le vampire sourit.

— Essayer de les garder en vie tous les deux.

D'un bond, il s'élança vers Buffy pour la plaquer à terre. Willow comprit ce qu'il n'avait pas osé lui dire : sa tentative se ferait au prix de sa propre vie...

La jeune fille ne protesta pas. Elle savait qu'Angel avait raison. La seule solution, c'était de gagner du temps jusqu'à ce que Giles trouve un moyen de mettre fin au combat. Elle se détourna et s'élança.

Angel percuta Chirayoju de plein fouet et tous deux s'abattirent sur le sol.

— Imbécile ! cria le démon. Que fais-tu ? Je vais te carboniser !

— Tu as promis de ne pas me faire de mal, lui rappela Angel en lui saisissant les poignets pour l'empêcher de lancer d'autres boules de feu.

— La parole de ce sorcier ne vaut pas grand-chose ! cracha Sanno en s'approchant d'eux.

Soudain, le masque verdâtre de Chirayoju ondula et disparut. L'étincelle revint dans les yeux de Buffy, qui supplia d'une toute petite voix :

— Angel, arrête-moi ! Tue-moi !

— Buffy, reste avec moi, dit le vampire. Lutte contre lui.

Il lui immobilisa les mains derrière le dos et lui donna un rapide baiser pour l'aider à se souvenir de qui elle était.

Le regard de Sanno s'éclaira.

— La fille a pris le dessus ? demanda-t-il.

— Je crois, répondit Angel.

— Parfait. Tiens-la bien pendant que je lui coupe la tête. Mon triomphe est enfin venu !

À cet instant, Chirayoju reprit le contrôle de son corps. Il écarta Angel et, tendant les bras, attaqua Sanno avec un torrent de flammes.

19

Willow courait. Elle n'éprouvait aucune douleur : juste de la peur, ainsi qu'une formidable montée d'adrénaline. Elle traversait comme une flèche pelouses et trottoirs, sautait par-dessus les barrières et traversait l'une après l'autre les rues sombres et silencieuses. Elle se concentrait sur sa liberté retrouvée, savourant la gifle froide du vent sur son visage.

La jeune fille songea à ce qui se produirait si elle n'arrivait pas à temps. Elle avait vu de quoi Chirayoju était capable, et de toute évidence, le Roi de la Montagne n'avait rien à lui envier. Angel était fort, mais jamais il n'arriverait à les maîtriser tous les deux, tout en s'efforçant de garder Alex et Buffy en vie.

Willow aperçut enfin le portail du lycée. Elle trébucha sur les marches de l'entrée et s'élança vers la porte. Mais celle-ci était fermée. La jeune fille se mit à marteler le battant en hurlant à pleins poumons le nom du bibliothécaire.

Une minute plus tard, la porte s'ouvrit. Cordélia dévisagea Willow.

— Mon Dieu, que…

Elles tombèrent dans les bras l'une de l'autre.

— Que se passe-t-il ? interrogea Cordélia en scrutant le visage hagard de Willow. Tes vêtements… Pourquoi portes-tu une armure ?… Où sont Alex et Buffy ?

— Toujours en vie… pour le moment, haleta Willow en prenant la direction de la bibliothèque. Mais ça ne durera pas si Giles ne trouve pas très vite une solution.

Cordélia la rejoignit et passa un bras autour de ses épaules pour la soutenir.

— Je crois que nous tenons une piste, dit-elle simplement.

— Dans notre intérêt à tous, j'espère que tu as raison, soupira Willow.

Giles tendit un fax à Willow.

— Jette un coup d'œil là-dessus. Tu crois que tu pourrais nous trouver ça sur Internet ?

La jeune fille haussa les épaules.

— C'est comme si c'était fait.

Giles prit le disque de métal pour l'examiner de plus près.

— Dommage qu'il ne suffise pas de le remettre en place pour emprisonner de nouveau Chirayoju et Sanno. Il va falloir récupérer l'épée d'Alex…

Sentant le regard des deux jeunes filles posé sur lui, il se racla la gorge.

— Hum. Internet, donc.

— Internet, approuva Willow en faisant craquer ses phalanges.

Pendant qu'elle s'affairait devant l'ordinateur, Giles reçut un autre fax.

Honorable Giles,

Toutes mes excuses pour mon comportement de ce matin. Il était très impoli de ma part de critiquer vos méthodes de travail.

En vérité, je ressens une grande amertume d'avoir failli à mes devoirs envers Mariko-chan. *Il est très difficile pour moi d'assumer la responsabilité de sa mort. Je suis jaloux de vous, parce que votre Tueuse est toujours en vie.*

Croyez bien que la honte m'habite.

Pour me faire pardonner, j'ai effectué quelques recherches. Vous trouverez ci-joint la copie d'un parchemin découvert à Osaka l'année dernière et racontant la légende de la Tueuse Perdue, dont voici un bref résumé :

En 1612, le Gardien de la Tueuse était aussi un samouraï. *Pour n'avoir pas rempli une mission confiée par son seigneur, il reçut l'ordre de se faire* seppuku.

Il décida que sa loyauté envers son maître passait avant celle qu'il devait à la Tueuse et obéit. Demeurée seule, sa Tueuse mourut trois mois plus tard.

Je pense que votre jeune Américaine a de la chance de travailler avec un Gardien aussi dévoué que vous, Giles. Je vous remercie de cette leçon, et une fois de plus, je vous demande pardon.

Kobo

Peu de temps après, la voiture de Giles emportait les deux jeunes filles vers le lieu de la bataille.

— Je me demandais... dit Willow. Si nous réussissons à chasser les esprits qui possèdent Alex et Buffy pour les forcer à retourner dans l'épée, ne pourrions-nous faire la même chose avec Angel ?

Le bibliothécaire grilla un feu rouge sous le regard approbateur de Cordélia.

— Ça m'a traversé l'esprit, avoua-t-il. Mais je ne sais pas vraiment comment le sort fonctionne. Il ne s'applique peut-être que dans le cas d'un objet déjà enchanté... Cela dit, si nous enlevons à Angel ce qui fait de lui un vampire, il ne sera plus immortel.

— Buffy ne l'est pas non plus. Où est le problème ?

— Ce que je veux dire, Willow, c'est qu'Angel serait *mort*.

— Ah. Ça, ce serait un problème.

— Je me demande pourquoi je passe mon temps avec vous, déclara soudain Cordélia. Un de ces quatre, je finirai par me faire tuer !

— Peut-être parce que tu ne peux pas t'en empêcher ? suggéra Willow en souriant.

Cordélia poussa un soupir.

— Peut-être, convint-elle. Alors, comment tu te sens ?

Surprise que la jeune fille s'en soucie, Willow cligna des yeux.

— Pas trop mal. Mon corps n'est plus qu'une immense ecchymose, mais je devrais m'en remettre. Si j'arrive à surmonter la culpabilité d'avoir déclenché toute cette histoire.

— Ce qui est arrivé n'est pas ta faute ni celle de Buffy, dit Giles pour la réconforter.

Cordélia se tourna vers la jeune fille.

— C'est le fait d'habiter à Sunnydale qui nous met tous en danger, corrigea-t-elle. Je ne l'admettrai jamais devant Buffy, mais je n'ose pas penser à ce que serait cette ville sans elle.

— Willow, enchaîna Giles, Buffy se contente de faire de son mieux. C'est tout ce que nous pouvons lui demander, et c'est tout ce qu'on peut demander à chacun de nous. Jusque-là, je trouve que nous nous sommes bien débrouillés.

Willow hocha la tête.

— Jusque-là… répéta-t-elle, d'un ton sinistre.

Mais les paroles de ses amis lui avaient fait du bien. Elle était d'accord avec eux : même si Buffy faisait de son mieux pour les protéger, ils avaient leur part de responsabilité, et un rôle à jouer dans le combat contre les forces des ténèbres. Ils devaient travailler en équipe.

Willow tourna la tête et vit à travers la vitre une lueur écarlate qui embrasait l'horizon.

20

Buffy était glacée jusqu'au plus profond de son âme. Elle comprenait maintenant ce qu'on devait ressentir quand on était enterré vivant, emprisonné dans sa propre chair.

Tandis qu'elle flottait dans les limbes de son esprit, elle captait des visions fugitives du monde extérieur. Par moments, elle éprouvait une douleur, sentait un picotement au bout de ses doigts ou prenait conscience des battements de son cœur. Elle voyait alors avec ses yeux et entendait avec ses oreilles.

Rassemblant toute son énergie, elle se raccrocha à la trame de ce qui composait son être. De ce qui faisait qu'elle était Buffy Summers. L'Élue. La Tueuse.

Qu'était donc Chirayoju, sinon un vampire plus puissant que les autres ? Plus vieux et doté de pouvoirs magiques, certes. Mais un vampire quand même ! Et Buffy savait comment se débarrasser d'eux.

Elle mobilisa sa colère, sa haine et son sens du devoir, puis elle frappa.

Chirayoju poussa un hurlement.

De nouveau, elle replongea au plus profond du corps qu'elle avait habité dix-sept années durant. Elle aurait perdu tout espoir… si elle n'avait pas senti la frayeur de Chirayoju. Buffy ne comprenait pas très bien pourquoi. Ça avait un rapport avec l'épée dans laquelle le démon était resté enfermé pendant un millénaire.

Le Roi de la Montagne l'avait déjà transpercé de sa lame à plusieurs reprises. Grâce aux pouvoirs de Chirayoju, le corps de son hôte — celui de Buffy — se régénérait après chaque blessure. Mais le démon craignait quand même l'épée, comme s'il restait une possibilité qu'on l'y renvoie. Il avait peur.

Dans les tréfonds de son esprit, Buffy sourit.

Les flammes avaient progressé dans l'herbe sèche et, poussées par le vent, elles gagnaient peu à peu les bâtiments. Les boules de feu qui jaillissaient des doigts de Chirayoju, et que Sanno déviait avec son épée, contribuaient à alimenter le brasier.

Non loin de là, Angel observait le combat. Il avait essayé d'intervenir, mais les deux adversaires l'avaient écarté.

Chirayoju s'éleva au-dessus du cercle de terre battue qui leur tenait lieu d'arène. Puis il se laissa tomber dans les flammes.

— Buffy, non ! cria Angel.

Un instant plus tard, le corps de la jeune fille émergea du brasier, les cheveux brûlés et la peau noircie. Le feu s'éteignit presque aussitôt, tandis que la magie de Chirayoju effaçait les dégâts subis par son hôte.

Dans sa main droite, il tenait un *katana* dont la lame reflétait la lueur orangée des flammes. Il se planta devant Sanno et leurs armes s'entrechoquèrent.

— Buffy, chuchota Angel.

Giles pila à l'entrée du jardin japonais. Il n'avait pas encore coupé le contact que Cordélia et Willow jaillissaient du véhicule et se précipitaient vers le lieu du combat.

Angel aperçut ses amis et se précipita vers eux.

— Willow, Cordélia ! Aidez-moi, ordonna Giles.

Il leur tendit les sacs qu'ils avaient apportés. Celui de Willow contenait du sel, de l'eau et du papier blanc, des symboles de pureté. Cordélia portait le journal de Claire Silver et une sortie laser de l'Incantation de Sanno. Giles, quant à lui, avait pris le disque métallique et un bandana blanc sur lequel il avait tracé le symbole japonais de la force vitale : *ki*.

Tous trois se perchèrent sur la crête qui surplombait le jardin. À l'aide du sel, Giles traça un cercle dans l'herbe.

— Recouvrez-le de papier, ordonna-t-il aux deux filles.

— Le vent emporte les feuilles ! cria Willow, désespérée, en s'efforçant de les rattraper.

— Maintiens-les en place avec des cailloux, suggéra Cordélia.

Dès qu'elles eurent terminé, Giles versa de l'eau dessus. Puis il entra à l'intérieur et brandit le bandana en direction du soleil levant.

— Ô grands ancêtres des seigneurs du Japon, entonna-t-il, je fais appel à vous pour renvoyer les esprits qui animent ces corps humains !

Il fit une courbette et noua le foulard autour de sa tête.

Pendant ce temps, Angel avait rejoint Willow.

— Que faites-vous ? demanda-t-il.

— Nous essayons de chasser les esprits de Sanno et de Chirayoju, expliqua la jeune fille. Puis nous les emprisonnerons de nouveau dans l'épée, en nous servant du disque.

— Grands ancêtres, guidez ma main ! supplia Giles.

Alex se jeta sur Buffy. La jeune fille para son attaque et effectua un saut périlleux pour passer derrière lui. Elle éclata d'un rire dément.

— Ça ne marche pas, gémit Cordélia.

— Pas encore, corrigea Willow, pleine d'espoir.

Sanno leva la tête et repéra le petit groupe.

— Ne vous mêlez pas de ça, mortels, gronda-t-il.

— J'ai le disque ! clama Giles. Vous pouvez l'uti-iser pour emprisonner le vampire et…

— Trop tard ! coupa Sanno. Ce n'est plus nécesaire.

Pourtant, il ne quittait pas le petit objet métallique des yeux.

— Il ment, murmura Angel. Ce truc l'intéressait beaucoup quand Buffy l'avait.

— C'est vrai, renchérit Cordélia. Il ment.

Willow haussa les sourcils.

— Qu'en sais-tu ?

Son amie grimaça.

— Crois-moi, je sens quand un type me raconte des craques.

— Mais pourquoi ferait-il ça ?

— Peut-être parce que le disque le renverrait aussi à l'intérieur de son épée...

Les deux jeunes filles se tournèrent vers Giles.

— Peut-être, murmura le bibliothécaire. Mais avant d'en arriver là, nous devons délivrer Alex et Buffy.

Au-dessous d'eux, la bataille faisait rage.

21

Giles secoua la tête et laissa retomber ses bras.

— Ça ne marche pas !

Angel tentait de ne pas céder à la rage et au désespoir. Son sentiment d'impuissance n'avait fait qu'augmenter tout au long de la nuit. Ses pouvoirs étaient insignifiants comparés à ceux de Sanno et de Chirayoju. Il s'était raccroché à un unique espoir : empêcher Alex et Buffy de s'entre-tuer jusqu'à ce que Giles arrive. Et maintenant…

— Comment ça, ça ne marche pas ? s'égosilla Cordélia. Il faut que ça marche ! Vous avez fait tout ce que disait le bouquin !

Giles recommença à psalmodier l'Incantation de Sanno.

Cordélia baissa les yeux vers Alex qui se battait contre Buffy. Elle ne savait pas exactement ce qu'elle éprouvait pour le jeune homme, mais elle ne voulait pas le perdre. Surtout pas comme ça !

Sans réfléchir, Willow se rapprocha d'Angel et lui prit la main. Le vampire serra brièvement ses doigts menus.

La jeune fille frissonna. Elle avait du mal à reconnaître ses amis. Ils portaient des masques hideux, qui scintillaient devant leur visage. Soudain quelque chose se produisit dans l'arène.

Giles finissait de déclamer l'Incantation de Sanno quand les deux adversaires se figèrent. Le vent mourut et les flammes se ramassèrent sur elles-mêmes… Puis le combat reprit de plus belle.

Sanno abattit son arme sur la tête de Chirayoju, qui esquiva d'un mouvement que Willow connaissait bien : le démon avait dû le puiser dans l'esprit de Buffy.

— Ai-je rêvé… ? marmonna Giles.

— Recommencez, le pressa Willow.

Le bibliothécaire se hâta d'obéir.

Buffy percevait l'anxiété et la confusion de Chirayoju.

Parfait, songea-t-elle. *À moi de jouer.*

Elle se concentra, rassemblant tous les souvenirs qui faisaient d'elle Buffy Summers. Ils étaient ses armes et son armure. Quelqu'un — sans doute Giles ou Angel — avait fait quelque chose qui déstabilisait le démon. En outre, Buffy sentait que Chirayoju avait peur de l'épée de Sanno. Il venait d'y passer un millénaire ; la perspective d'y être de nouveau enfermé le remplissait de terreur.

Tout doucement, la jeune fille tenta de reprendre possession de son corps. Soudain, le visage d'Alex apparut devant ses yeux.

— Tu as perdu, Chirayoju ! s'exclama-t-elle.

Le démon ne l'avait pas sentie venir. Elle savait qu'il ne tarderait pas à la repousser, mais elle avait besoin de quelques secondes pour agir. Face à elle, son adversaire leva son épée.

— Vas-y, Alex, l'encouragea Buffy. Fais-le !

Écartant les bras, elle fit un pas en avant et attendit de sentir la pointe de l'arme lui transpercer le cœur.

Alex avait enfin émergé de ce qui semblait un long sommeil pour découvrir Buffy en face de lui. Les blessures de la jeune fille se refermaient à vue d'œil. Il sentait maintenant le poids de l'épée entre ses mains.

— Buffy, avait-il chuchoté d'une voix rauque. Que…

Puis Sanno avait repris le dessus. Mais, cette fois, Alex n'avait pas cédé. Il était resté en surface, observant la scène malgré son impuissance.

Sanno leva son épée pour achever Buffy. À cet instant, le désespoir d'Alex lui donna la force qui lui manquait.

— Non ! rugit-il en reprenant le contrôle de lui-même.

Il était trop tard pour retenir le coup ; le jeune homme ne put que le dévier. La lame traversa l'abdomen de Buffy et ressortit dans son dos.

Sanno poussa un hurlement de joie qui fit écho au cri d'agonie de Chirayoju. Alex ne maîtrisait plus son corps. Il voulut faire un mouvement, mais il était paralysé, son arme plongée dans le ventre de Buffy, qui ne bougeait pas non plus.

Un flot d'énergie surnaturelle courait de l'un à l'autre.

Mais Sanno n'était pas remonté à la surface pour autant.

Buffy sentit la pointe de l'épée la transpercer et son sang affluer vers la blessure. Il lui semblait que la lame aspirait tout son être. Chirayoju cria de nouveau, et elle comprit ce qui était en train de se passer. La prison magique rappelait le démon à elle. Mais celui-ci s'accrochait à Buffy. S'il ne la lâchait pas, il l'entraînerait bientôt avec lui à l'intérieur de l'épée.

Tu peux ficher le camp, personne ne te regrettera. Moi, je reste ici ! songea Buffy.

— Ô mon Dieu ! s'exclama Cordélia. Regardez-les ! Ils sont paralysés !

— Buffy, chuchota Angel.

— Ça se présente très mal, gémit Willow.

— Pas nécessairement, dit Giles, interrompant son incantation.

Angel vit Buffy esquisser un geste.

— Continuez à chanter ! cria-t-il au bibliothécaire.

Il fut soulagé que Giles lui obéisse.

— Venez, dit-il en prenant la main des deux jeunes filles et en les entraînant vers le cercle de braises qui délimitait l'arène.

— Angel ! protesta Cordélia.

— Quoi ? grogna le vampire.

— Je suis pieds nus !

Angel marqua une pause, le temps de saisir les jeunes filles par la taille et de s'en mettre une sous chaque bras. Puis il dévala la pente et courut vers l'endroit où Alex et Buffy étaient toujours pétrifiés.

— Willow, place-toi derrière Alex, ordonna Angel en la posant sur le sol. Cordélia, fais la même chose avec Buffy. À mon signal, tirez de toutes vos forces.

Willow fronça les sourcils.

— À quoi ça servira ? Ils recommenceront à se battre.

— Je vais tenir l'épée, expliqua Angel. Si le sort de Giles a réellement fonctionné — et je crois que c'est le cas —, les esprits resteront peut-être prisonniers dedans.

Cordélia le foudroya du regard.

— Peut-être ? répéta-t-elle, glaciale.

— Ne discute pas ! C'est leur seule chance !

La jeune fille capitula.

— Très bien. Mais, Willow... ne fais pas de mal à Alex, d'accord ?

Angel baissa les yeux sur le disque métallique couvert d'inscriptions étranges. Il ne savait pas si son plan marcherait, mais il n'avait pas le temps de se perdre en conjectures.

— Attends ! l'arrêta Willow. Que se passera-t-il si Sanno et Chirayoju tentent de s'échapper ? N'essaieront-ils pas de prendre possession de toi ?

— Je suis déjà habité par un démon, lui rappela Angel en grimaçant. Il n'y a pas de place pour un autre… À plus forte raison pour *deux* autres.

— Et si l'épée tente de t'attirer aussi ? intervint Cordélia.

Angel n'avait pas envie d'y penser, donc il ne répondit pas. Il regarda tour à tour les deux filles. Willow d'abord, qui semblait si fragile, et vit tant de force en elle qu'il se jura de ne plus jamais la sous-estimer. Puis Cordélia. Aussi agaçante qu'elle puisse être, la jeune fille était là, ce soir, alors que rien ne l'y obligeait, et cela seul parlait en sa faveur.

— Vous êtes prêtes ? demanda Angel.

Les deux filles hochèrent la tête.

— À mon signal… Un… Deux… Tirez !

Angel empoigna la lame à pleines mains, sans se soucier qu'elle morde dans sa chair.

Angel sentit l'électricité de la magie courir dans ses veines mortes, essayant de l'aspirer.

Chirayoju et Sanno étaient retournés à l'intérieur de la lame, continuant le combat commencé depuis un millénaire et qui se poursuivrait peut-être jusqu'à la fin des temps. Angel n'avait aucun désir de les rejoindre. Luttant contre l'épée, il la tint à bout de bras pour étudier sa garde. De la main gauche, il remit en place le disque de métal. Mais il n'avait rien pour le fixer.

Alors, il sentit quelqu'un le tirer par la manche. Il tourna la tête.

Buffy. Cette fois, c'était bien elle. Faible, pâle, tremblante, une main sur la blessure que les pouvoirs de Chirayoju n'avaient pas eu le temps de refermer complètement... Et elle lui tendait un morceau de tissu arraché à son chemisier.

Angel sourit et le noua autour de la garde de l'épée pour maintenir le disque en place. Il lui sembla que la lame vibrait encore de la haine des deux esprits enfermés dedans.

Buffy n'avait qu'une envie : dormir pendant les six prochains mois... Du moins dès qu'on aurait recousu sa blessure. Tout son corps la torturait. Elle avait l'impression de s'être fait piétiner par un troupeau de bisons. Et elle avait encore massacré un chemisier !

Mais quand Angel posa sur elle un regard plein d'inquiétude, plus rien d'autre ne compta.

— Je vais bien, le rassura-t-elle. Un petit tour aux urgences, et je serai de nouveau prête à enchaîner les sauts périlleux. Donne-moi l'épée.

Angel s'exécuta. Buffy prit l'arme à deux mains, la leva au-dessus de sa tête et l'abattit sur son genou.

N'importe qui d'autre se serait cassé la jambe, mais Buffy était l'Élue. La lame se cassa en deux.

— Désormais, ils se battront pour l'éternité, dit Willow.

— Ça me rappelle un couple que je connais, souffla Alex.

Lui aussi était redevenu normal.

— Angel ! s'exclama Giles. Dieu merci, tu as réussi ! Tu les as sauvés.

— C'est Buffy qui leur a porté le coup de grâce, dit le vampire.

— Nous avions tous un rôle à jouer ce soir, résuma Buffy. Si un seul d'entre nous avait manqué à l'appel, les choses auraient tourné différemment.

— C'est vrai, renchérit Giles en se tamponnant le front avec son mouchoir. Ce serait devenu la nuit la plus longue de l'histoire de l'humanité.

— Je meurs d'envie de rentrer à la maison, soupira Cordélia. À propos, Summers, qu'as-tu fait de ma voiture ?

— Oh… euh… Elle doit être quelque part par là, répondit la jeune fille, avant de se blottir dans les bras d'Angel.

Alex se racla la gorge.

— Ne me prenez surtout pas pour un ingrat. Je mesure la chance que j'ai d'être encore en vie, mais… tout cela me tracasse un peu.

— Un peu seulement ? releva Willow avec un sourire.

— Je veux dire… On avait déjà bien assez de vampires dans le coin. Si on se met à les importer…

— Allons, Alex, tu sais bien que nous vivons sur la Bouche de l'Enfer, lui rappela Buffy. L'équivalent de Disneyworld pour les vampires.

— Pourvu qu'on ne rencontre jamais Mickey, marmonna Willow.

—Tu ne comprends pas, Will, dit Alex en secouant la tête. Pour les vampires, Mickey, c'est Buffy !

Ils continuèrent à plaisanter jusqu'au moment de se séparer. Buffy entraîna Willow à l'écart.

—Tu vas bien ? demanda-t-elle lorsqu'elles furent un peu à l'écart.

— Ça pourrait être pire. Je pense toujours que je devrais apprendre à me battre, mais après la semaine qui vient de s'écouler, je ne souhaiterai plus jamais être la Tueuse ! Sans vouloir t'offenser.

— Dommage, parce qu'ils vont sans doute me garder une ou deux nuits à l'hôpital. J'aurais eu besoin d'une remplaçante pour aider Giles…

Les deux jeunes filles revinrent vers la voiture du bibliothécaire.

Pendant qu'il les conduisait vers l'hôpital, Buffy s'endormit dans les bras d'Angel, un sourire sur les lèvres.

Elle savait que, au matin, son bien-aimé aurait disparu… Mais la nuit ne tarderait pas à revenir. Telles étaient la malédiction et la bénédiction de leur amour.

Assise à l'avant, près de Giles, Willow eut l'impression qu'on venait de lui ôter un poids énorme des épaules. Le bibliothécaire dut remarquer son soulagement, car il lui jeta un regard plein de curiosité.

— À quoi penses-tu ?

— Je me disais que c'est un sacré boulot de lutter contre les forces des ténèbres. Mais si on se serre les coudes, il se peut qu'on finisse par gagner.

Giles sourit. Il était le plus heureux des Gardiens.

— Bien dit, murmura-t-il en se concentrant sur la route.

Si tu aimes

Tourne la page
et découvre un extrait de

***Répétition mortelle* (n° 4)**

[...]

Allongé sur le divan de la bibliothèque, Giles se tamponna le front avec un mouchoir déjà trempé de sueur. Depuis une heure, il était en proie à une forte fièvre.

Jamais Buffy et ses amis ne l'avaient vu dans une tenue aussi négligée : le Gardien avait déboutonné sa chemise, ôté ses chaussures et posé ses pieds sur la table.

— On devrait vous conduire à l'hôpital, suggéra Buffy, inquiète.

— Ça ne servirait à rien, dit Giles. Ma maladie n'est pas de nature scientifique. Aucun médecin n'y peut rien. Et puis le moment est venu de tirer les choses au clair. Trois d'entre nous — Buffy, Alex et moi — avons rêvé de personnes qui se connaissaient à l'époque de la chasse aux sorcières de Salem. Nous n'en sommes pas forcément la réincarnation, mais elles étaient liées comme nous le sommes aujourd'hui. Il y a forcément une explication et il me semble important de découvrir laquelle.

— Buffy et vous, fit remarquer Willow, vous rêvez de gens qui occupaient les mêmes fonctions que vous : Tueuse et Gardien.

— Quant à moi, intervint Alex, pour des raisons que je m'explique mal, je me retrouve dans la peau d'une femme nommée Sarah Dinsdale, sorcière de son état et condamnée à mort... et qui a réussi à s'échapper.

Giles eut une quinte de toux.

— En outre, puisque tu rêves de Sarah, nous savons que l'esprit qui s'est adressé aux Church est vraisemblablement un imposteur : si celui de Sarah est en toi, il ne peut pas être ailleurs en même temps.

— L'étape suivante consiste à en apprendre davantage sur Sarah Dinsdale, déclara Willow.

— Super, fit Alex en s'étirant, j'ai des tonnes de sommeil à rattraper.

— Nous n'avons pas le temps d'attendre que tu rêves, répliqua Giles. Nous devons... nous bouger l'arrière-train, comme on dit ici.

— Vous pouvez dire « les fesses », Giles, soupira Buffy.

— Bref, je suggère que nous nous livrions à une séance de spiritisme. Willow, tu veux bien aller chercher les bougies et l'eau bénite qui se trouvent dans l'armoire, derrière mon bureau ?

« Alex, sur l'étagère à ta droite se trouve un livre appelé *Le Spiritisme en dix leçons*, par Rick et Lora Church. Nous en aurons besoin. Buffy, je dois te demander quelque chose de désagréable...

Dix minutes plus tard, elle revint de la morgue, portant une urne remplie de cendres humaines.

— Je suppose qu'il faudra que je les ramène demain matin, dit-elle d'un ton résigné.

— Et même plus tôt, avec un peu de chance, acquiesça Giles. Merci, Buffy. Je suis toujours étonné par la rapidité avec laquelle tu réussis à t'introduire dans ce genre d'endroit et à en ressortir avec ce que tu es venue chercher.

— Moi aussi, j'y arriverais, protesta Alex. Si elle consentait à me montrer comment elle s'y prend...

— Pas question, dit sèchement Buffy. Ça ne me dérange pas de le faire.

— Et je t'en suis très reconnaissant, affirma Giles. Voyons... Dans ce livre, Lora décrit les préparatifs d'une séance de spiritisme. Ça a l'air assez simple : le seul objet nécessaire est une urne contenant les cendres d'un défunt. Vous avez tiré les rideaux ? Parfait. Maintenant, nous devons nous tenir les mains.

Giles s'assit à une extrémité de la table, Alex en face de lui et les filles entre eux. La bibliothèque était plongée dans l'obscurité ; l'unique lumière provenait des bougies disposées aux cinq pointes d'une étoile tracée avec de la cire fondue : un pentacle.

— Ça va aller, Giles ? demanda Buffy, inquiète.

Giles hocha la tête.

— Robert Erwin a été très malade pendant les événements que nous revivons. Il semble logique que je le sois aussi, puisque je joue son rôle.

— Que voulez-vous dire ? s'enquit Alex, les sourcils froncés.

— Que ce qui s'est passé dans nos vies précédentes doit avoir une influence sur ce qui nous arrive actuellement, expliqua Giles.

— Eh bien, si Sarah Dinsdale a fini brûlée vive, je vais me sentir très nerveux.

— Aux États-Unis, les sorcières étaient pendues, pas brûlées, lui rappela Giles. Les puritains n'étaient pas des barbares, mais des gens aussi civilisés que possible... à leur époque. En outre, le nom de Sarah Dinsdale ne figure pas parmi la liste des victimes. J'ai vérifié.

— Alors, que lui est-il arrivé ? s'enquit Alex, curieux.

Giles haussa les épaules.

— Elle a disparu après son évasion. Et quand elle est morte, ce n'était pas à cause d'une condamnation pour sorcellerie.

— Officiellement, non. Mais d'après ce que je sais d'eux, Danforth et Corwin me semblent très capables de faire justice eux-mêmes, répliqua Buffy.

Soudain, un éclair illumina la pièce, bientôt suivi par un coup de tonnerre.

— C'est bizarre : la fille de la météo a dit qu'il ferait beau toute la semaine, s'étonna Alex.

— Commençons la séance, suggéra Giles en réprimant une quinte de toux.

Il prit les mains des filles, aussitôt imité par Alex.

— Ça ne devrait pas être trop difficile, puisque nous savons que l'esprit de Sarah est avec nous. Il faut juste que nous réussissions à établir un contact.

[...]

L'urne mortuaire était posée au centre du pentacle. Tous les participants s'efforçaient de visualiser les cendres cachées à l'intérieur, d'imaginer leur texture, leur odeur et leur goût. Peu à peu, l'énergie qui circulait entre eux devint un puissant courant, tandis que, dehors, les éléments se déchaînaient. Leurs corps devinrent de plus en plus légers, et leurs esprits de plus en plus lourds.

Soudain, Alex sursauta et se raidit comme s'il avait été frappé par une décharge électrique. Giles leva la tête.

Au même moment, un éclair déchira l'obscurité et la foudre vint frapper un chêne dans la cour du lycée. Willow fit un bond sur sa chaise. Terrorisée, elle rompit le cercle.

Buffy était comme hypnotisée. Elle entendit le bois craquer et se fendre, les flammes crépiter le long de l'écorce. Elle ouvrit la bouche et dit quelque chose, mais le coup de tonnerre fut si fort que personne ne l'entendit.

Alex fut pris de frissons incontrôlables, comme si on l'avait plongé dans de l'eau glacée. Willow se pencha vers lui, mais Giles lui fit signe de ne pas intervenir.

Buffy remarqua que la lumière qui avait frappé l'urne, à l'intérieur du pentacle, continuait à briller… On aurait dit que les cendres du défunt avaient absorbé l'énergie libérée par l'éclair.

Dehors, la pluie éteignit bientôt l'incendie. Du tronc coupé en deux s'élevait une colonne de fumée.

Buffy vit qu'Alex s'était quelque peu détendu. Toujours en transe, il semblait cependant décontracté… d'une façon qui ne lui était en rien naturelle.

Pas besoin d'être chercheur en physique nucléaire pour deviner qui avait pris possession du jeune homme. Dans les rêves de Buffy, Samantha Kane n'avait pas encore rencontré Sarah Dinsdale, mais l'aventurière et la sorcière avaient déjà dû se croiser, car la jeune fille fut absolument certaine de reconnaître Sarah…

Dans la même collection

1. La Moisson
2. La pluie d'Halloween
3. La lune des coyotes
4. Répétition mortelle
5. La piste des guerriers

Composition : Francisco *Compo*
61290 Longny-au-Perche

Imprimé en France sur Presse Offset par

BRODARD & TAUPIN

GROUPE CPI

La Flèche (Sarthe), le 03-10-2001
N° d'impression : 8511

Dépôt légal : octobre 2001

12, avenue d'Italie • 75627 PARIS Cedex 13

Tél. : 01.44.16.05.00